Faça um favor a si mesmo...

PERDOE

JOYCE MEYER

Faça um favor a si mesmo..
PERDOE

Aprenda a Assumir o Controle de Sua Vida Através do *Perdão*

1.ª edição
Belo Horizonte

Diretor
Lester Bello

Autor
Joyce Meyer

Título Original
Do yourself a favor... forgive

Tradução
Maria Lucia Godde Cortez / Idiomas & Cia

Revisão
Ana Lacerda, Luísa Calmon/Daniele Ferreira
Fernanda Silveira/Idiomas & Cia

Diagramação
Julio Fado

Design capa (adaptação)
Fernando Rezende

Impressão e Acabamento
Promove Artes Gráficas

BELLO
PUBLICAÇÕES

Rua Vera Lúcia Pereira, 122
Goiania - CEP 31.950-060
Belo Horizonte/MG - Brasil
contato@bellopublicacoes.com.br
www.bellopublicacoes.com.br

Publicado pela
Bello Comércio e Publicações Ltda-ME
com a devida autorização de
Hachette Book Group e todos
os direitos reservados.

Primeira edição — Setembro de 2014
1ª Reimpressão — Outubro de 2015

Exceto em caso de indicação em contrário, todas as citações bíblicas foram extraídas da Bíblia Sagrada *The Amplified Bible* (AMP) e traduzidas livremente em virtude da inexistência dessa versão em língua portuguesa. Quando a versão da AMP correspondia com o texto da Almeida Revista e Atualizada, esse foi o texto utilizado nos versículos fora dos colchetes.

Meyer, Joyce
M612 Faça um favor a si mesmo... Perdoe: aprenda a assumir o controle de sua vida através do perdão / Joyce Meyer; tradução de Maria Lucia Godde / Idiomas & Cia . – Belo Horizonte: Bello Publicações, 2015.
240p.
ISBN: 978-85-8321-012-2
Título original: Do yourself a favor... forgive

1. Orientação espiritual. 2. Perdão. I. Título.

CDD: 248 CDU: 266

Sumário

Introdução

Jesus veio ao mundo para que os nossos pecados fossem perdoados e nós fôssemos restaurados a um relacionamento de intimidade com Deus por meio dele. Seu dom gratuito do perdão é maravilhoso e incomparável. Deus espera que aquilo que Ele nos dá gratuitamente, nós também ofereçamos gratuitamente a outros. Por termos recebido o perdão de Deus, podemos perdoar aqueles que pecam contra nós ou nos prejudicam de alguma maneira.

Se não perdoarmos seremos infelizes e nossa alma será envenenada pela malignidade da amargura. Aprendi que quando perdoo alguém que me feriu, na verdade estou fazendo um favor a mim mesma, e saber disso torna muito mais fácil para mim perdoar de maneira rápida e completa. Eu gostaria de poder dizer que aprendi esse princípio muito cedo em minha vida, mas não posso. Levei décadas para entender o que desejo compartilhar com você neste livro.

Infelizmente, não passaremos pela vida sem sermos magoados, feridos ou ofendidos. A experiência nos diz que a vida é cheia de injustiças. Entretanto, podemos ser livres da dor dessas feridas deixando-as para trás e confiando em Deus para ser nosso Vingador e para fazer justiça em nossa vida.

As raízes da falta de perdão são muito perigosas. Elas crescem bem abaixo da superfície e se estabelecem profundamente dentro de nós. São traiçoeiras porque nos convencem de que, por termos sido ofendidos, alguém deve ser punido, e de que não podemos e não seremos felizes até que isso aconteça. Queremos ser compensados pela dor que suportamos, mas só Deus pode nos dar algum tipo de compensação — e Deus o fará se confiarmos nele e perdoarmos nossos inimigos como Ele nos disse para fazer.

Estou certa de que muitas pessoas que lerão este livro começarão a fazê-lo com ira no coração. Alguém as magoou ou a vida as decepcionou. Minha oração é para que o coração delas se abra para Deus e elas vejam a importância fundamental de viver livres de qualquer espécie de amargura, ressentimento, falta de perdão ou ofensa.

Creio que a cada semana temos novas oportunidades de nos sentirmos ofendidos e irados, mas conhecer adequadamente a vontade de Deus nos dará a coragem para vencer a ira e desfrutar a vida que Deus nos deu. Continuar com raiva de alguém que o magoou é como tomar um veneno esperando que esse alguém morra. Nossa falta de perdão fere mais a nós mesmos do que a qualquer outra pessoa. Deus nunca nos pede para fazer nada a não ser que isso, no final das contas, seja bom para nós; portanto, deveríamos confiar nele e aprender a perdoar espontaneamente.

Minha oração é para que, ao ler este livro, você aprenda que quando lida com a ira de forma saudável e perdoa a quem lhe feriu, você está fazendo um favor a si mesmo.

Faça um favor a si mesmo...

PERDOE

CAPÍTULO

1

Isto Não é Justo!

Susanna é uma mulher de quarenta e oito anos que cresceu em uma fazenda isolada em uma pequena cidade do Texas. Seus pais eram extremamente pobres, com uma renda baixa e meia dúzia de filhos.

Susanna era a mais nova. Sua personalidade radiante, suas belas feições e sua inteligência incomum lhe foram úteis desde cedo. Ela terminou o colegial e se tornou uma das melhores vendedoras no local em que trabalhava, uma pequena empresa que confeccionava roupas. Posteriormente, iniciou o próprio negócio, confeccionando roupas para mulheres. Susanna amava seu negócio; por causa dele, ela se sentia realizada e importante, por isso se dedicava ao que fazia de todo o coração. Ela conheceu e se casou com o homem dos seus sonhos e eles tiveram duas filhas. À medida que os anos se passavam, o negócio da família progredia, e quando estava com quarenta e poucos anos, ela e seu marido estavam dirigindo uma empresa multimilionária.

O casal desfrutava de tudo o que a riqueza podia oferecer: uma casa magnífica, carros, barcos e uma casa de veraneio. Eles viajavam de férias por todo o mundo. Suas duas filhas frequentavam as melhores escolas e participavam dos círculos sociais mais proeminentes. Elas cresceram e tiveram carreiras de sucesso, formando suas próprias famílias. A vida não poderia estar melhor, ou pelo menos assim eles pensavam. Embora o casal frequentasse a igreja ocasionalmente, motivado por um senso de dever, o relacionamento deles com Deus não era pessoal, e eles não consideravam genuinamente a vontade de Deus quando tomavam decisões. Até mesmo o seu relacionamento familiar era superficial, em vez de profundo, sincero e íntimo.

Um dia, de repente e sem aviso, Susanna soube que seu marido estava tendo um caso e que não era a primeira vez. Ela ficou em estado de choque e profundamente magoada. Ele não apenas era infiel, mas ela também descobriu que a empresa estava mergulhada em dívidas por causa dele e que um enorme montante de dinheiro havia desaparecido. Ele vinha desviando dinheiro da empresa que ela havia fundado e estava usando-o para se divertir com suas namoradas e viver uma vida secreta.

O casamento se dissolveu rapidamente, e Susanna ficou com um negócio que estava afundado em dívidas e à beira do colapso. Então a economia quebrou e as vendas no varejo caíram vertiginosamente, o que resultou na quebra da empresa de Susanna. A ira e a amargura que sentia contra seu ex-marido, a quem ela culpava por tudo, aumentavam dia a dia.

Susanna recorreu às filhas em busca de compreensão e consolo, mas elas se ressentiam pelos anos em que ela havia trabalhado tanto e deixado de passar tempo com elas. Elas também acreditavam que a infidelidade de seu pai era em parte devido ao fato de sua mãe amar o negócio mais do que qualquer outra coisa no mundo. As filhas de Susanna estavam ocupadas com a própria vida e ignoraram as necessidades e os problemas da mãe, da mesma maneira que acreditavam que ela tinha feito quando precisaram dela. Susanna precisava de apoio, mas não recebeu nada.

Recorreu à irmã, mas, acredite se quiser, ela pareceu se alegrar com o sofrimento de Susanna. Ela achava que os seus anos de sucesso e "vida fácil" a haviam tornado egoísta e sem consideração. Um enorme abismo se abriu entre elas e, ainda hoje, oitos anos depois, elas não se falam.

Suas filhas, embora a tratem com educação, não telefonam nem a convidam para visitá-las. Susanna se tornou cada vez mais amarga e culpa a todos por sua infelicidade. Em nenhum momento ela considerou que alguns dos problemas pudessem ter sido culpa sua, ou sequer pensou na hipótese de perdoar e pedir perdão.

Ela está irada com seu ex-marido. Tem raiva de si mesma por não ter visto que seu casamento e sua empresa estavam desmoronando bem diante dos seus olhos. Está com raiva por suas filhas não terem feito mais por ela, e está com raiva de Deus porque sua vida se tornou uma grande decepção.

Quem Não Ficaria Com Raiva?

A maioria das pessoas nessa situação ficaria irada, mas elas não precisariam ficar se entendessem o amor de Deus e soubessem que Ele já providenciou um escape para esse tipo de sofrimento.

O número de vidas arruinadas pela ira e falta de perdão é impressionante. Algumas pessoas não sabem agir de outra forma, e muitas delas são cristãs e sabem que há outra opção, mas não estão dispostas a escolhê-la. Em vez de superar seus sentimentos e fazer uma escolha melhor, elas vivem de acordo com eles. Elas se trancam em uma prisão de emoções negativas e seguem aos trancos e barrancos pela vida em vez de viverem-na de uma maneira vibrante e completa.

Sim, a maioria das pessoas ficaria furiosa, mas há uma opção melhor: elas poderiam fazer um favor a si mesmas e perdoar. Poderiam deixar de lado a decepção e permitir que Deus lhes desse um novo foco. Poderiam olhar para o futuro em vez de olhar para o passado. Poderiam aprender com os erros e se esforçar para não cometê-los novamente.

Embora a maioria de nós não esteja em uma situação tão terrível quanto a de Susanna, certamente a lista de motivos pelos quais poderíamos ficar irados não tem fim... O cachorro do vizinho, o governo, os impostos, não receber o aumento de salário esperado, o trânsito, um marido que deixa meias e roupas íntimas no chão do banheiro ou filhos que não demonstram nenhum reconhecimento por tudo o que você faz por eles. Há também pessoas que são grosseiras conosco e nunca pedem desculpas, pais que nunca demonstraram afeto, irmãos que são mais favorecidos do que nós, acusações falsas, e a lista continua em uma cascata interminável de oportunidades nas quais poderíamos nos irar ou perdoar e seguir em frente.

Nossa reação natural é ficarmos contrariados, ofendidos, amargos, irados e não perdoar.

Mas a quem estamos ferindo ao abrigarmos essas emoções negativas? A quem nos ofendeu ou magoou? Às vezes realmente ferimos as pessoas quando as excluímos de nossa vida por causa da ira, mas frequentemente elas nem sequer sabem ou se importam por estarmos zangados! Vivemos remoendo incessantemente o que nos aborreceu, relembrando a ofensa vez após vez em nossa mente. Quanto tempo você gastou imaginando o que dizer à pessoa que o deixou furioso, enquanto ficava ainda mais angustiado nesse processo? Quando nos permitimos fazer isso, realmente ferimos muito mais a nós mesmo do que ao nosso ofensor.

Estudos médicos demonstraram que a ira pode causar todo tipo de coisa, desde úlceras a uma atitude negativa. No mínimo, ela é uma perda de tempo precioso. Cada hora que passamos irados é uma hora desperdiçada e que nunca teremos de volta. No caso de Susanna e de sua família, eles desperdiçaram anos. Pense nas vezes em que eles deixaram de ter comunhão por causa de toda raiva que sentiam um dos outros. A vida é imprevisível; não sabemos quanto tempo nos resta com nossos entes queridos. É lamentável nos privarmos de boas lembranças e relacionamentos por causa da raiva. Eu também perdi muitos anos por causa da ira e da amargura geradas pelas injustiças que sofri nos meus primeiros anos de vida. Minha atitude me afetou de muitas formas negativas, e isso teve efeito sobre a minha família. Pessoas tomadas pela ira sempre descontam a sua raiva em alguém, porque o que está dentro de nós sempre sai em algum momento. Podemos pensar que escondemos nossa raiva de todos, mas ela sempre encontra uma maneira de se expressar.

As coisas que nos acontecem geralmente não são justas, mas Deus nos recompensará se confiarmos nele e obedecermos a Ele. Querer vingança é um desejo natural, mas não é um desejo que podemos nos permitir. Se quisermos ser compensados pelo dano causado, podemos saber que Deus promete fazer exatamente isso.

> Ora, conhecemos aquele que disse: A mim pertence a vingança [retribuição e justiça plena podem ser encontrados em Mim]; Eu vou reembolsar [vou exigir a compensação], diz o Senhor. E outra vez: O Senhor julgará, determinará e resolverá as causas do Seu povo.
> Hebreus 10:30

Esse versículo e outros como ele me encorajaram a abandonar minha ira e amargura e a confiar em Deus para me compensar à Sua maneira. Eu encorajo você firmemente a dar o mesmo salto de fé todas as vezes que sentir que foi tratado injustamente.

As pessoas a quem precisamos perdoar geralmente não merecem ser perdoadas e às vezes nem sequer o desejam. Elas talvez nem saibam que nos ofenderam, ou talvez não se importem; no entanto, Deus nos pede para perdoá-las. Isso poderia parecer extremamente injusto se não fosse pelo fato de que Deus faz por nós o mesmo que Ele nos pede para fazermos pelos outros. Ele nos perdoa vez após vez e continua nos amando incondicionalmente.

Uma coisa que me ajuda a perdoar é dedicar tempo para me lembrar de todos os erros que cometi e que precisaram não apenas ser perdoados por Deus, mas também por outras pessoas.

Meu marido foi muito misericordioso e cheio de graça para comigo durante muitos anos enquanto eu estava passando pelo processo de cura do trauma de abuso infantil. Estou convicta de que "pessoas feridas ferem pessoas". Sei que magoei minha família e que era incapaz de construir relacionamentos saudáveis, mas certamente não fiz nada deliberadamente. Minha atitude era resultado da minha dor e ignorância. Eu havia sido ferida, e só pensava em mim mesma. Estava sofrendo, e por isso feria os outros. Eu realmente precisava de compreensão, de ser confrontada na hora certa e de receber toneladas de perdão — e Deus trabalhou através de Dave para me dar essas coisas. Lembro-me agora das vezes em que Deus usou minha vida para fazer o mesmo por outra pessoa.

Você já precisou ser perdoado — tanto pelas pessoas quanto por Deus? Estou certa que sim. Lembre-se dessas vezes, e isso o capacitará a perdoar quando for preciso.

Deixe a Sua Raiva na Porta

Você já viu um filme antigo do Velho Oeste em que os *cowboys* tinham de deixar suas armas na porta antes de entrarem em um bar? Eu já, e esse é um bom exemplo a ser usado quando pensamos na ira. A ira é como uma arma que levamos conosco pronta para ser descarregada nas pessoas que parecem estar a ponto de nos ferir. Assim como os *cowboys* sacariam suas pistolas para se defender, a não ser que as deixassem na porta, sacamos nossa ira para nos defender com frequência. Adquira o hábito de deixar conscientemente a raiva na porta antes de entrar em qualquer lugar. Recuse-se a levá-la com você quando sair de casa. Diga conscientemente: "Vou sair hoje sem ira. Vou levar amor, misericórdia e perdão comigo e vou usá-los generosamente quando necessário".

Descobri que falar comigo mesma me ajuda bastante. Posso me convencer a fazer coisas ou a deixar de fazê-las. Posso me convencer a ficar com raiva ou superá-la. Aprenda a pensar consigo mesmo. Diga a si mesmo: "É uma perda de tempo ficar com raiva e isso desagrada a Deus; portanto, vou abrir mão disso deliberadamente". Lembro a mim mesma que estou me fazendo um favor quando escolho a paz e recuso-me a ficar irada.

Talvez não sintamos vontade de fazer a coisa certa, mas podemos viver para agradar a Deus ou para agradar a nós mesmos. Se escolhermos agradar a Deus, então faremos muitas coisas que serão o oposto do que talvez sintamos vontade de fazer. Todos nós temos sentimentos, mas somos mais que nossos sentimentos. Também temos o livre-arbítrio e podemos escolher o que sabemos ser melhor para nós.

A Ira É Forte e Destrutiva

Ira é indignação, vingança e fúria. Ela começa como um sentimento e progride até se transformar em palavras e atos quando não é deixada de lado. É um dos sentimentos mais fortes que existe e é muito destrutiva. A Palavra de Deus nos ensina a controlar a ira porque ela nunca produz a justiça que Ele deseja (Tiago 1:20).

Somos instruídos por Deus a sermos lentos para nos irarmos. Quando sentimos que estamos começando a ferver de raiva, é hora de tampar a panela. Podemos ficar agitados e tornar os problemas piores pensando e falando sobre eles, o que significa alimentá-los... ou... no instante em que nossos sentimentos começarem a se levantar podemos fazer algo a respeito. Seja determinado em relação ao sentimento de ira, e diga: "Recuso-me a continuar com raiva. Recuso-me a me sentir ofendido. Deus me deu domínio próprio, e vou usá-lo".

Contaram-me uma história sobre um pastor que convidou um conferencista para pregar em sua igreja. O pastor estava sentado na primeira fileira da igreja ouvindo o conferencista, quando, sem usar de sabedoria, o conferencista começou a fazer alguns comentários negativos sobre a maneira como o pastor lidava com algumas coisas na igreja. Ele estava fazendo um comentário geral e estou certa de que não pretendia ofender ninguém, mas suas palavras foram críticas e mordazes. Enquanto o palestrante falava, o pastor repetia suavemente em um sussurro: "Não vou me sentir ofendido, não vou me sentir ofendido". Ele era um pastor mais velho e tinha mais sabedoria que o palestrante. Reconhecia o zelo de seu convidado, mas também sabia que lhe faltava sabedoria. O pastor recusou-se a deixar que as palavras de seu convidado o ofendessem.

Sei como é isso, porque estou na televisão compartilhando a mensagem do Evangelho, e ouço outras pessoas no ministério que não estão na televisão fazendo comentários negativos sobre os "televangelistas" — que é como eles chamam de uma maneira nada amorosa aqueles que foram chamados para exercer o ministério na mídia televisiva.

É muito fácil julgar alguém se não estamos no lugar dele, e quando ouço as pessoas fazendo comentários pouco gentis, tento me lembrar de que elas estão falando sobre algo que desconhecem completamente. As pessoas dizem coisas do tipo: "Esses televangelistas estão simplesmente tentando tomar o dinheiro das pessoas". "Esses televangelistas não fazem nada para edificar a Igreja; eles estão pensando apenas em si mesmos e não têm a mente voltada para o Reino de Deus". É claro que existem algumas pessoas em todas as profissões que têm motivações impuras, mas colocar todos nessa categoria é totalmente errado e não está de acordo com a Bíblia. Quando ouço coisas como essas ou me contam que alguém disse essas coisas, tomo a decisão de não me sentir ofendida, porque isso não mudará nada e certamente não me fará bem algum.

Quando faço um convite às pessoas no programa de televisão para que recebam Jesus Cristo, a resposta recebida pelo nosso ministério é avassaladora. Enviamos a elas um livro que as instrui a se envolverem em uma boa igreja local, mas talvez isso seja algo que os críticos não sabem. Estou comprometida em fazer o que sei ter sido chamada por Deus para fazer e em não me preocupar com os críticos, porque não responderei diante deles no fim da minha vida, mas unicamente diante de Deus.

É fácil julgar os outros, achando que sabemos de tudo. Mas muito poucos de nós sabem; isso está reservado a Deus. Estou certa de que você tem suas próprias experiências, e a melhor coisa a fazer é orar pela pessoa que proferiu as palavras de ofensa, tomar a decisão de não se sentir ofendido e escolher acreditar no melhor a respeito dela. Todos nós devemos orar pedindo para não ferirmos os outros ou ofendê-los com nossas palavras.

CAPÍTULO

2

O Sentimento de Ira

As pessoas que não têm Deus em suas vidas geralmente não se sentem incomodadas quando se iram — elas podem até pensar que essa é a maneira de resolver problemas ou o meio para conseguir o que querem. Os cristãos, porém, se sentem incomodados com a ira, e até ficam confusos com ela. Como povo de Deus, costumamos pensar que por sermos cristãos, não deveríamos sentir raiva. Então costumamos nos sentir culpados quando somos tomados pelo sentimento de ira. Perguntamo-nos por que afinal ficamos com raiva quando, na verdade, essa é a última coisa que queremos fazer.

Sou alguém que estuda seriamente a Palavra de Deus há trinta e cinco anos, e garanto que não tenho desejo de dar espaço à ira. Tenho trabalhado diligentemente com o Espírito Santo ao longo dos anos aprendendo a superar a ira e a controlá-la. Sou uma amante da paz e desejo a unidade em todos os meus relacionamentos. Detesto contenda! No entanto, recentemente, sem qualquer aviso prévio, senti muita raiva como não sentia há muito, muito tempo.

As emoções podem se abrasar rapidamente. Não se espera que não as tenhamos, mas espera-se que não deixemos que elas nos governem. A Palavra de Deus nunca afirma que sentir ira é pecado. Mas ela se torna um comportamento pecaminoso quando não a administramos adequadamente ou quando nos apegamos a ela. O apóstolo Paulo nos instrui dizendo que não devemos deixar que o sol se ponha sobre a nossa ira (Efésios 4:26-27). Esse versículo nos dá a entender que as pessoas experimentarão o sentimento de ira, mas devem ser capazes de abrir mão dela após um curto período de tempo. Para mim, fazer isso exige dedicar um tempo a orar e a tomar uma decisão que vá além de como eu me sinto.

Há não muito tempo eu estava conversando com minha tia ao telefone. Dave e eu a temos ajudado financeiramente nos últimos anos porque ela ficou viúva e sua renda não é suficiente para sustentá-la adequadamente. Ela me passou uma procuração, de modo que a qualquer momento, se ela precisar de assistência médica, a casa de idosos onde ela mora me telefona para cuidar de qualquer emergência. Queria que minha filha fosse acrescentada à lista de pessoas que têm autoridade para tomar decisões por minha tia, para que, caso eu estivesse fora da cidade, suas necessidades médicas fossem atendidas. Pedi que minha filha fosse à casa de minha tia com o documento da procuração, mas ela ficou muito defensiva e recusou-se a assiná-lo. Quando minha filha me disse o que aconteceu, imediatamente, sem pensar duas vezes, fiquei com tanta raiva que pensei que iria explodir. Eu esperava que minha tia simplesmente confiasse em mim e fizesse o que eu lhe pedi, por isso telefonei para ela e lhe disse exatamente o que pensava, lembrando-lhe de tudo o que eu havia feito por ela e dizendo que não gostara daquele comportamento egoísta. Ambas estávamos com raiva e dissemos muitas coisas que não deveríamos ter dito.

Para ser sincera, eu achei que estava certa por estar com raiva — e isso foi um erro. Justificar a minha ira me permitiu ficar presa a ela por três dias, enquanto esperava que minha tia me telefonasse pedindo desculpas, o que nunca aconteceu. Durante esses três dias, contei a diversas pessoas de minha família e a uma amiga tudo que havia acontecido, destacando o quanto eu a achava egoísta. Naturalmente, isso também foi um erro, já que a Palavra de Deus nos ensina a não fazermos nada para ferir a reputação de outra pessoa, a não fazermos fofoca ou sermos mexeriqueiros. Cada vez que eu contava a história, minha raiva recebia mais combustível e queimava com mais calor do que antes. Posso dizer sinceramente que não me lembrava de ter ficado com tanta raiva por tanto tempo há anos.

O que aconteceu? Em primeiro lugar, eu estava muito cansada quando essa situação surgiu. Agora entendo que agi precipitadamente na maneira como lidei com o meu pedido. Por estar cansada, não dediquei tempo para explicar direito a situação à minha tia, e isso abriu a porta para a confusão. Eu não apenas estava cansada, como também estava lidando com muitas questões urgentes para minha tia e minha mãe nas últimas semanas — eu estava me sentindo pressionada e procurando maneiras de facilitar as coisas para mim.

Na manhã do quarto dia após o incidente, percebi que a ira que eu sentia havia se tornado um empecilho para minha intimidade com Deus e estava me impedindo de estudar a Palavra de Deus como deveria. Continuei pensando sobre a situação e não consegui tirá-la da minha mente, o que geralmente acontece comigo até eu confrontar e resolver questões difíceis. Comecei a sentir que Deus queria que eu telefonasse para minha tia e pedisse desculpas, e admito que não estava com nenhuma vontade de obedecer.

Quanto mais eu abria o coração para Deus, mais claramente eu via o lado da minha tia naquela situação. Ela tem oitenta e quatro anos e está perdendo rapidamente a sua independência, o que é compreensivelmente muito difícil para ela. Do seu ponto de vista, ela provavelmente ficou surpresa com a reviravolta nos acontecimentos. De repente, eu estava enviando papéis para serem assinados por ela para que minha filha pudesse tomar decisões acerca de sua saúde, caso eu estivesse fora da cidade, sem explicar exatamente o que aquilo significava. Depois de esperar por algumas horas, por estar temerosa de dar o telefonema, finalmente liguei e disse a ela que sentia muito por ter ficado tão irada. Para minha agradável surpresa, ela me disse que sentia muito também, e que havia agido mal porque ficou confusa. Dentro de dois minutos toda a situação foi resolvida e a minha paz voltou, assim como a dela.

Depois do incidente, entendi que eu poderia e deveria ter lidado com a situação com muito mais sabedoria e tendo muito mais preocupação com os sentimentos dela do que havia tido. Eu genuinamente me arrependi diante de Deus, não apenas por continuar com raiva por três dias, mas também por ter feito fofoca sobre a situação com outras pessoas.

Eu quis compartilhar essa história com você simplesmente para mostrar que a ira pode nos dominar rapidamente, e por mais "cristãos" que sejamos, nunca estamos acima de nos sentirmos tentados a ficar com raiva. Lamento muito por ter deixado a ira permanecer por três dias, mas fico feliz porque não deixei que ela se tornasse uma raiz de amargura em minha vida e continuasse envenenando minha alma por ainda mais tempo.

Deus é lento para se irar, e devemos ser assim também. Ele controla a Sua ira — isso significa domínio próprio. Deus muitas vezes desviou a Sua ira e não deu vazão à Sua indignação (Salmos 78:38). "Desviou a Sua ira" significa que Ele a controlou. Lembre-se de que o domínio próprio é um fruto do Espírito. É um aspecto do caráter de Deus que Ele compartilhou conosco. Vemos muitos exemplos na Bíblia em que um homem provocou a ira em Deus, e Ele se conteve. Na situação com minha tia, levei quatro dias para me conter, e não sinto orgulho disso.

Nosso desejo deve ser sempre termos um comportamento mais parecido com o de Deus. Eis um exemplo a ser seguido:

> Nossos pais, no Egito, não atentaram às tuas maravilhas; não se lembraram [fervorosamente] da multidão das Tuas misericórdias nem imprimiram a Tua bondade [em seu coração], mas eles foram rebeldes e provocaram o Senhor junto ao mar, o mar Vermelho. Mas Ele os salvou por amor do seu Nome [para provar sua justiça e seu caráter divino], para lhes fazer notório o seu poder.
>
> Salmos 106:7-8

Embora os filhos de Israel fossem rebeldes e merecessem ser punidos, Deus os perdoou e demonstrou que a bondade era a Sua natureza. Em outras palavras, Deus é amor, e isso não é como um dispositivo que Ele liga e desliga. Ele é sempre o mesmo e nunca permite que o comportamento dos outros o mude. Eu permiti que o comportamento de minha tia mudasse rapidamente quem eu sou, mas se tivesse pensado antes de reagir, toda a situação poderia ter sido diferente. Eu reagi com base nas minhas emoções, em lugar de agir com base na Palavra de Deus e de seguir o exemplo dele. Durante muitos anos da minha vida, eu fiz o mesmo em muitas situações. A ira era algo que fazia parte da minha vida, até que eu me dispus a permitir que Deus me transformasse.

No próximo capítulo, falarei sobre como Dave confrontou meu mau comportamento, mas sem nunca me maltratar. O fato de ele ser uma pessoa estável e estar sempre disposto a demonstrar amor por mim foi uma das maiores razões pelas quais eu quis mudar meu mau comportamento. Se Dave tivesse meramente ficado com raiva e gritado, talvez eu nunca tivesse mudado. Eu estava em um ponto de minha vida em que precisava desesperadamente ver o amor em ação, e vi isso através de Dave.

Às vezes palavras não bastam. Dizer palavras amorosas é algo corriqueiro em nossa sociedade. Meu pai, que abusou de mim sexualmente, dizia que me amava. Minha mãe, que me abandonou, dizia que me amava. Amigos que mentiram para mim haviam dito que me amavam, de modo que as palavras haviam perdido o sentido para mim. Dave não apenas disse que me amava, ele demonstrou para mim o tipo de amor que Deus quer dar aos outros por meio de nós. O Seu próprio amor!

A Ira Descontrolada

A ira descontrolada pode se transformar rapidamente em fúria. A fúria é perigosa. Nesse estado, as pessoas dizem e fazem todo tipo de coisas que podem alterar o curso de suas vidas. Você já ouviu a frase: "Eu estava com tanta raiva que não via nada na minha frente?" Foi assim que me senti no dia em que fiquei muito brava com minha tia. Agora entendo que a raiva que senti estava relacionada com outras coisas que nada tinham a ver com a situação que se apresentava diante de mim. Creio ter deixado certo ressentimento se acumular dentro de mim e precisava resolver essa situação, então o incidente com ela foi a gota d'água que fez com que o balde transbordasse, por assim dizer.

Quando alguém fica irado conosco, muitas vezes essa raiva envolve muito mais do que apenas a situação do momento. Podemos estar no trânsito e alguém ficar furioso porque não sinalizamos da forma adequada. A raiva da pessoa é completamente desproporcional à ofensa. Cometemos um simples erro e ela está furiosa a ponto de ser capaz de nos magoar, mas, embora a raiva esteja sendo direcionada a nós, ela na verdade não tem nada a ver conosco. Talvez seja um acúmulo de anos de problemas mal resolvidos na vida daquela pessoa. Hoje ouvimos falar com alguma frequência sobre pessoas que entram em um prédio e atiram a esmo, matando ou ferindo outras pessoas. Em um ataque de fúria, elas começaram a atirar em pessoas que nem sequer conheciam. Por quê? Sua fúria se acumulou até se tornar uma expressão de violência descontrolada.

Quantas pessoas estão nas prisões hoje porque mataram alguém durante um ataque de fúria? Quantas arruinaram ou prejudicaram gravemente relacionamentos porque disseram coisas terríveis e danosas durante um ataque de fúria? Pense em quantas pessoas teriam uma vida melhor agora mesmo se tivessem sido ensinadas a lidar adequadamente com a emoção da ira.

O mais chocante ato motivado pela fúria ocorreu quando os judeus foram incitados a crucificar Jesus, alguém que havia vindo para salvá-los e não havia feito nada de errado. Esse ato de injustiça é o mais terrível da História, no entanto, Deus o perdoou e criou um plano para a nossa redenção e restauração total. Que amor impressionante!

A única maneira de evitar a fúria é contar até cem quando você se sentir com raiva, ou até mil, ou até quanto precisar contar para se acalmar. Faça isso antes de dizer qualquer coisa ou de tomar qualquer atitude. Costumo dizer: "Deixe que as emoções se acalmem, e depois decida!"

Não Desperdice Sua Energia Emocional com a Ira

Irar-se requer muita energia. Você já percebeu o quanto fica cansado depois de uma explosão de raiva? Eu já e, na minha idade, finalmente percebi que não tenho tempo a perder na minha vida. A ira é um desperdício e nunca faz bem algum a ninguém, a não ser que se trate da ira dos justos, mas esse é um assunto para outro capítulo. Aprendi que depois que fico realmente com raiva, levo muito tempo para me acalmar, e finalmente percebi que era melhor usar um pouco de energia para controlar a raiva no início do que gastar toda a minha energia ficando irritada e tentando me acalmar depois. Eis um bom conselho: se você não concorda com alguém, entregue essa pessoa nas mãos de Deus. Peça a Ele para revelar quem está certo e quem está errado, e esteja disposto a encarar a verdade se Ele disser que o errado é você.

Durante muitos anos desperdicei energia discutindo com Dave sobre coisas triviais que na verdade não faziam nenhuma diferença, a não ser pelo fato de que eu queria estar certa. Mas o amor abre mão do seu direito de estar certo (ver 1 Coríntios 13:5). Estar certo não é o que há de mais importante! A energia que desperdiçamos tentando provar que estamos certos, na maioria das vezes, é energia mal direcionada. Mesmo quando discutia com Dave por tempo suficiente para conseguir fazê-lo dizer: "Você está certa", eu ainda assim não vencia, porque havia decepcionado Deus com meu comportamento e havia sido um mau exemplo para todos ao meu redor.

A paz nos torna fortes, mas a ira nos enfraquece. Vamos escolher e buscar estar em paz com Deus, com nós mesmos e com os homens.

> Pois aquele que quer desfrutar a vida e ver dias bons [bons — quer isso seja aparente ou não], refreie a sua língua do mal e os seus lábios da fraude [traição, engano].
> Que ele se desvie da maldade e afaste-se dela, e faça o bem. Que ele busque a paz [a harmonia, a des-

> preocupação dos medos, das paixões inquietantes e dos conflitos morais] e empenhe-se em alcançá-la [não deseje meramente ter um relacionamento pacífico com Deus, com os homens e consigo mesmo, mas busque-o, corra atrás dele!].
>
> 1 Pedro 3:10-11

Espero que você tenha dedicado tempo para ler o versículo anterior. Ele fez com que eu finalmente visse que não podia simplesmente orar pela paz, mas tinha de buscá-la, persegui-la e correr atrás dela com todo o meu coração. Precisava estar disposta a fazer ajustes e a me adaptar aos outros a fim de ter paz. Eu também tinha de estar disposta a me humilhar, como fiz no dia em que telefonei para minha tia para me desculpar, se realmente desejasse a paz.

O que vale a pena ser feito para se ter paz? Se você não vê a paz como algo extremamente valioso, nunca fará o necessário para tê-la. Controlar a sua raiva e aprender a perdoar generosa e rapidamente faz parte daquilo que é preciso ser feito para manter a paz. Mas estar sempre disposto a sacrificar o próprio desejo, principalmente o desejo de estar certo, é também uma parte diária do que é necessário para desfrutar a paz que Deus nos deu por meio de Jesus Cristo. Descobri que Deus é muito melhor para me vingar do que eu mesma. Deixe Deus ser Deus na sua vida, e você também desfrutará de muito mais paz.

Você não precisa ser dominado pela emoção da ira. Ela sempre estará por perto procurando uma oportunidade para se manifestar, mas ao buscarmos a direção do Espírito Santo, a oração e o domínio próprio, não teremos de ceder a ela. A Palavra de Deus afirma que Ele nos dará poder para dominar em meio aos nossos inimigos, e no que diz respeito à minha vida, a ira é um inimigo ao qual eu me recuso estar submetida. Faça um favor a si mesmo... abra mão da ira, vença-a, e desfrute a paz de Deus.

•

CAPÍTULO

3

As Raízes da Ira

Há coisas que nos deixam com raiva, mas também há pessoas que sentem raiva sem nenhum motivo especial; elas simplesmente se iram. Às vezes não sabemos de onde vem a nossa raiva. Já aconteceu de mais de uma pessoa me dizer: "Fico brava com frequência e nem sequer sei a razão... O que há de errado comigo?" Há uma raiz para essa raiva em algum lugar do seu coração, portanto, quando você orar, reflita um pouco sobre isso e encare a verdade de frente — fazer isso em geral traz a causa à tona. Descobri que Deus geralmente me mostra qual é meu problema de fato se faço essa pergunta a Ele. O que Deus me mostra nem sempre é o que quero ouvir, principalmente se Ele revela que o problema sou eu, mas Ele deseja que encaremos a verdade dentro de nós, permitindo que ela nos liberte.

Até chegar à meia idade, eu tinha problemas com a ira. Todas as vezes que as coisas não aconteciam do meu jeito, eu rapidamente me irritava, porque vi meu pai se comportar do mesmo modo. Pessoas cheias de ira geralmente vêm de famílias nas quais a ira está presente. É um comportamento que se aprende, e até que ele seja confrontado, a ira muito provavelmente continuará a existir. Por exemplo, as estatísticas nos dizem que muitos homens que batem em suas esposas testemunharam seus pais se comportarem da mesma forma em relação às suas mães. Embora eles possam ter odiado ver a mãe sendo maltratada, em geral eles lidam com o conflito da mesma forma.

Meu pai costumava ser violento com minha mãe, principalmente se tivesse bebido. Ele era um homem cheio de ira, e embora nunca tenhamos compreendido completamente às raízes daquele comportamento, soubemos que o pai dele também era um homem que se irava facilmente, que era difícil de agradar e que usava a raiva como um método de controle no lar. A Bíblia nos ensina que nossos pecados e comportamentos recorrentes são herdados de geração em geração, a não ser que aprendamos a amar a Deus e comecemos a aplicar Seus princípios em nossa vida (Deuteronômio 5:8-10).

Vi o ciclo de raiva e violência em minha família ser quebrado na minha vida, e Deus quer fazer o mesmo por qualquer pessoa que tenha problemas em relação à ira. Dedique algum tempo para pensar sobre o lar no qual você cresceu. Qual era a atmosfera em sua casa? Como os adultos lidavam uns com os outros quando surgiam conflitos? Sua casa era cheia de dissimulação ou as pessoas se relacionavam sincera e abertamente? Se por acaso você é uma das poucas pessoas abençoadas que cresceram em uma atmosfera piedosa, você deve agradecer a Deus porque isso lhe deu uma vantagem inicial na vida. Entretanto, aqueles de nós que não tiveram um bom exemplo podem superar isso através do amor de Deus e da verdade da Sua Palavra.

Como Confrontar em Amor

Além de meu pai ser violento, minha mãe nunca o confrontava. Ela era tímida, então se acovardava sob a autoridade abusiva dele. Ela não apenas não se protegia, como também não me protegia. Aprendi a desprezar o que entendia ser uma fraqueza dela, e decidi cedo na vida que nunca seria fraca ou deixaria que alguém me maltratasse. Em um esforço para me proteger, me tornei uma pessoa controladora. Acreditava que se mantivesse a tudo e a todos sob meu controle, eu não me machucaria, mas é claro que o meu comportamento não funcionava, porque ele não procedia de Deus. Com o tempo, meu marido começou a me confrontar em amor, com um confronto que vinha da parte de Deus, e mesmo tendo levado algum tempo, isso me ajudou a mudar.

Embora sejamos chamados à paz e devamos buscar e perseguir a paz, ter medo de confrontar as pessoas que estão nos maltratando não é a forma correta de lidar com o conflito. Finalmente aprendemos em nossa casa que falar a verdade de forma aberta é a melhor política em todo o tempo. Dave e eu temos quatro filhos adultos e passamos muito tempo juntos. Há momentos em que ficamos com raiva e dizemos coisas que geram conflitos, mas fico feliz porque ninguém fica zangado por muito tempo. Confrontamos os problemas e, mesmo que discordemos, tentamos discordar pacificamente. Conhecemos os perigos da contenda e estamos comprometidos em mantê-la fora da nossa família. Compartilho isso para mostrar que, embora eu tenha crescido em um lar cheio de ira e inicialmente tenha trazido essa ira para a minha casa, esse padrão pecaminoso foi quebrado pela misericórdia e graça de Deus, bem como pela obediência à Sua Palavra.

O confronto em amor — aquele que vem da parte de Deus — começa ao confrontarmos alguém apenas quando Deus nos dirige a fazer isso e no momento em que Ele nos dirige a fazê-lo. Confronto demais e cedo demais só serve para deixar uma pessoa que está cheia de ira com ainda mais raiva. Fale sobre o problema de maneira calma e amorosa e tente fazer isso em uma conversa simples e sincera. Confrontar a ira com ira nunca funciona, de modo que é importante permanecer calmo durante o confronto.

> A resposta branda desvia o furor, mas a palavra dura suscita a ira.
>
> Provérbios 15:1

> A língua serena [que representa um poder curador] é árvore de vida, mas a perversa quebranta o espírito.
>
> Provérbios 15:4

> Pela longanimidade e calma de espírito um juiz ou governante é persuadido, e a língua branda esmaga a resistência mais dura que os ossos.
>
> Provérbios 25:15

Diga à pessoa que está sendo confrontada por você como o comportamento dela faz você se sentir, e faça com que ela saiba que isso é inaceitável. Tente manter o seu tom de voz suave, mas firme. Reafirme que a ama e que deseja ter com ela um relacionamento saudável, mas que não aceitará desrespeito e tratamento abusivo de qualquer espécie. Não se surpreenda se, a princípio, a pessoa não aceitar o que você está dizendo. Geralmente precisamos de tempo para que as ideias penetrem no nosso entendimento. Não se surpreenda se a pessoa ficar zangada e começar a acusar você de ser o problema. Mantenha-se firme na sua decisão, ore muito e dê tempo a Deus para trabalhar. Muito frequentemente a pessoa procurará você mais tarde e lhe dirá que sente muito e entende que você está certo.

Quando Dave me confrontava, ele dizia que me amava, mas não poderia me respeitar se eu não estivesse disposta a enfrentar meu comportamento que desagradava a Deus e a deixar que Ele me transformasse. Dave me dizia como minha postura e minhas palavras com relação a ele o magoavam e também sobre o tempo que levaria para curar muito do estrago que já havia sido feito. Ele nunca me maltratou nem me excluiu de sua vida usando o silêncio, mas foi firme e determinado. A princípio, eu me rebelei, fiquei na defensiva e tentei dizer a ele todas as coisas que havia de errado com ele também. Mas finalmente aceitei minha responsabilidade e comecei a trabalhar com o Espírito Santo em direção à mudança. A estabilidade calma e firme que Dave demonstrou o tempo todo ao longo do processo foi muito importante, e creio que é importante para qualquer pessoa que esteja em uma situação na qual precise ser confrontada.

Uso e Mau Uso

Abuso significa mau uso ou uso de maneira imprópria. Quando um pai abusa sexualmente de um filho, ele está "usando" esse filho de uma maneira errada. Quando uma mãe não fala com seus filhos de maneira amorosa e bondosa, ela está tendo um comportamento abusivo porque não os está tratando da maneira correta. Quando um marido bate em sua esposa ou mesmo a espanca, seu comportamento é abusivo. Quando alguém tenta controlar outra pessoa, isso é abusivo. Deus nos criou como seres que precisam de amor, aceitação e liberdade — essas necessidades fazem parte do nosso DNA, portanto, nunca seremos completamente funcionais sem elas.

Sinto-me devastada só de pensar nos abusos que ocorrem em nossa sociedade hoje. Parece que vivemos em um mundo tomado pela ira, e que a maioria das pessoas vive como uma bomba-relógio prestes a explodir a qualquer momento. As pessoas se tornaram muito egoístas e egocêntricas, e a ira delas cresceu ao longo do caminho. Que eu saiba, Deus é a única resposta para os problemas enfrentados por nós hoje. Não podemos controlar o que o mundo faz, mas podemos decidir não seguir seus passos. Devemos escolher Deus e Seus caminhos e, ao fazermos isso, nossa vida pode se tornar uma brilhante luz que servirá de exemplo para outros. Que possamos declarar: "Escolham por si mesmos... a quem vocês servirão, mas eu e minha casa... serviremos ao Senhor" (Josué 24:15).

Sofrer qualquer tipo de abuso nos torna pessoas cheias de ira. Você está com raiva de alguém que abusou de você? Talvez perdoar essa pessoa seja o começo da sua cura e libertação. Em

João 20:23, Jesus diz aos Seus discípulos que aqueles a quem perdoassem lhes seriam perdoados os pecados; mas àqueles a quem os retivessem lhes seriam retidos. Quando nos recusamos a perdoar alguém que nos feriu, é possível que esse pecado fique guardado em nós e acabemos por repeti-lo nós mesmos. Muitas pessoas que sofreram abuso passaram a ter um comportamento abusivo. Na melhor das hipóteses, elas estão tomadas pela raiva e serão incapazes de mudar até que perdoem completamente aqueles que as feriram. Satanás se certificará de que todos nós sejamos feridos, na expectativa de que vivamos uma vida cheia de ira. Mas lembre-se de Eclesiastes 7:9: "A ira e a irritação se abrigam no íntimo dos insensatos". Somos tolos se retivermos a ira que sentimos quando somos feridos por alguém. Faça um favor a si mesmo e perdoe.

Em 1985, a avó de Bill Pelke, Ruth, foi assassinada por quatro meninas adolescentes. Ela era uma mulher cristã maravilhosa que dirigia estudos bíblicos em sua casa. Uma noite, ela abriu a porta para um grupo, esperando ensinar-lhes a Palavra de Deus. Em vez disso, as garotas entraram em sua casa e a assassinaram brutalmente.

Uma noite, em novembro de 1986, Bill se pegou pensando em sua avó.

Em 2 de novembro de 1986 [diz Bill], eu estava pensando sobre a vida e a morte da minha avó. Comecei a pensar em sua fé. Vovó era uma cristã devota e eu fui criado em uma família cristã. Lembrei-me de como Jesus disse que se quiséssemos que o nosso Pai Celestial nos perdoasse, precisávamos perdoar aqueles que nos haviam feito mal... Eu sabia que Jesus estava dizendo que o perdão deveria ser algo habitual, um estilo de vida. Perdoar, perdoar, perdoar, e continuar perdoando... Pensei que provavelmente deveria tentar perdoá-la [Paula Cooper, a chefe do grupo, de 15 anos] pelo que ela havia feito à vovó. Imaginei que talvez um dia eu o faria porque seria a coisa certa a fazer.

Quanto mais eu pensava na vovó, mais eu me convencia de que ela teria ficado horrorizada com a sentença de morte a que Paula foi condenada... Também senti que ela queria que alguém em minha família demonstrasse o mesmo tipo de amor e compaixão. Senti como se isso estivesse pesando sobre meus ombros. Embora soubesse que perdoar era a coisa certa a fazer, amor e compaixão estavam fora de cogitação porque minha avó havia sido assassinada de uma forma extremamente brutal. Àquela altura, eu estava completamente convencido de que era isso que vovó teria desejado, mas não conhecia nenhuma outra maneira de tornar isso possível; portanto, pedi a Deus que me desse amor e compaixão por Paula Cooper e por sua família, e que o fizesse em nome de minha avó.

Foi apenas uma oração curta, mas, imediatamente após tê-la feito, comecei a pensar em como eu poderia escrever a Paula e falar-lhe sobre o tipo de pessoa que minha avó era e o motivo pelo qual vovó a havia deixado entrar em sua casa. Minha avó tinha muita fé, e era isso que eu queria compartilhar com Paula.

Percebi que a oração pedindo amor e compaixão havia sido atendida, porque de repente eu queria ajudar Paula e percebi que executá-la seria um erro. Aprendi a lição mais poderosa da minha vida naquela noite. Uma lição sobre o poder curador do perdão. Quando meu coração foi tocado pela compaixão, fui capaz de perdoar. Quando o perdão foi liberado, ele trouxe uma cura tremenda para minha vida. Fazia um ano e meio desde a morte da minha avó e, durante esse período, sempre que pensava nela me lembrava de como ela havia morrido. Era terrível pensar sobre a morte horrenda que ela sofreu. Mas quando meu coração foi tocado pela compaixão e pelo perdão que a produziu, soube que daquele momento em diante sempre que voltasse a pensar na vovó, não me lembraria mais de como ela havia morrido, mas de como ela viveu, o que ela defendeu, no que acreditava, e a pessoa linda e maravilhosa que ela era.

Perdoar não significa desculpar o que Paula Cooper fez, nem significa que não deve haver nenhuma consequência para seu ato. Certamente não significava esquecer. Nunca me esquecerei do que aconteceu com minha avó, mas posso abrir mão de todo e qualquer desejo de me vingar de Paula. Posso desejar que coisas boas aconteçam com ela.

Histórias verídicas como essa são muito inspiradoras e mostram que podemos realmente perdoar qualquer pessoa por qualquer coisa se olharmos além do que nos foi feito, e formos capazes de perceber o que será melhor para todos os envolvidos em longo prazo. Deus tem me ensinado a não apenas enxergar a maneira como fui afetada por aquele que me ofendeu, mas a ver ainda com mais clareza o que essa pessoa fez a si mesma, estando disposta a perdoá-la e orar por ela.

A Ira Gerada Pelo Perfeccionismo

Se tivermos expectativas pouco realistas a nosso respeito e a respeito de outras pessoas, isso pode se tornar uma raiz de ira em nossa vida. O perfeccionista é alguém incapaz de estar satisfeito a não ser que as coisas sejam perfeitas. O bom nunca é bom o bastante, e até mesmo o excelente não é suficiente... As coisas precisam estar perfeitas. A não ser que o perfeccionista permita que Deus traga equilíbrio à sua vida, a busca pela perfeição geralmente se torna uma fonte de estresse e infelicidade.

A vida e as pessoas que fazem parte dela não são perfeitas; no entanto, Deus nos deu a capacidade de suportarmos seja lá o que aconteça com bom humor, se estivermos dispostos a isso.

A mãe de Lisa era muito dura com ela, sempre exigindo perfeição em tudo o que a menina fazia. Embora Lisa não tivesse talento para música, sua mãe insistia em que ela aprendesse a tocar piano e a obrigava a praticar por horas seguidas. Ela quase nunca elogiava Lisa, e mesmo nas raras ocasiões em que o fazia, ela também lembrava as coisas em que ela ainda precisava melhorar. Como resultado disso, Lisa tem muita raiva de si mesma — o que tem raízes profundas no fato de Lisa acreditar ser um fracasso em quase tudo o que faz. Ela também é muito legalista e quase nunca está satisfeita em relação ao seu relacionamento com o marido e os dois filhos. Aos trinta anos, Lisa tem úlceras e sofre da síndrome do cólon irritável, ambos agravados pelo estresse sob o qual ela vive constantemente.

Lisa atualmente vai a um conselheiro cristão e está fazendo algum progresso, mas trava uma batalha diária. A vida acontece todos os dias e ao final de cada dia sempre há algo imperfeito, e Lisa precisa decidir não permitir que isso a angustie. Ela quer ser livre da tirania do perfeccionismo, mas será necessário algum tempo até que sua mente seja renovada nessa área. Lisa precisará aprender a agir com base na Palavra de Deus, crendo no que ela diz, e a não reagir emocionalmente às situações com base na lembrança que tem das expectativas e exigências de sua mãe.

Jesus é o Único que atendeu a todas as exigências da Lei com perfeição, e Ele fez isso em nosso favor, para que pudéssemos ser livres. Embora em nosso coração possamos ter uma atitude perfeita para com Deus e desejar a perfeição, manifestaremos alguma imperfeição enquanto vivermos em corpos naturais de carne e sangue, e enquanto tivermos almas sujeitas à influência de tudo o que nos cerca. Estudando a Palavra de Deus e passando tempo com Ele, crescemos em direção ao alvo da perfeição, mas precisamos aprender a nos alegrar no momento presente, a caminho do lugar para onde estamos indo.

A vida se resume à jornada, e não ao destino.

O poder de Deus se aperfeiçoa nas nossas fraquezas. Podemos ser fortes, mas somente nele. Não nos faz absolutamente bem algum ficar com raiva de nós mesmos porque não podemos ser perfeitos o tempo todo. Aprendi a fazer o meu melhor e a deixar Deus fazer o resto!

Necessidades Não Atendidas

Todos nós temos necessidades legítimas, e não é errado esperar que aqueles com quem nos relacionamos atendam a algumas dessas necessidades. Entretanto, precisamos estar certos de contarmos com Deus em primeiro lugar e confiarmos nele para operar através dos outros. A maioria das pessoas é atraída pelo seu oposto. Deus planejou que todos nós fôssemos diferentes para que precisássemos uns dos outros. Nenhuma pessoa tem tudo, mas cada um de nós tem uma parte do que é necessário para manter um equilíbrio saudável na vida. Sou muito decidida e meu marido é um pouco mais tranquilo. Durante muitos anos, isso foi motivo de discussão entre nós, mas agora vemos que eu costumo incentivá-lo a agir, enquanto ele me desacelera para que eu não aja impulsivamente. Juntos, somos bem equilibrados. Você pode estar em uma situação semelhante, mas se não a considera da maneira correta, passará a vida tentando fazer com que alguém lhe dê algo que nem sequer percebe que você precisa, simplesmente porque essa pessoa é diferente de você.

Creio que Deus atenderá a todas as suas necessidades legítimas, mas Ele o fará através de quem Ele escolher. Passei muito tempo zangada com Dave porque ele não me entendia, ou porque ele não queria passar horas falando comigo sobre nossos problemas. O plano dele era simples: ele queria reconhecer o problema, fazer o que poderia ser feito e depois lançar nossas ansiedades sobre Deus (1 Pedro 5:7). Por outro lado, eu queria ficar imaginando o que deveríamos fazer. Dave, logicamente, estava certo, mas eu não apenas tinha uma personalidade diferente da dele, como também era menos madura no que dizia respeito a confiar em Deus.

Ao longo dos anos aprendi a não ficar fazendo um relatório mental daquelas que considero ser minhas necessidades não atendidas, e que se tornarão, por fim, uma raiz de ira em minha vida. Aprendi a confiar em Deus para cada necessidade que tenho. Sei que Dave me ama e que ele deseja atender às minhas necessidades, mas a verdade é que ele simplesmente nem sempre as vê ou sabe o que fazer, porque isso não faz parte da maneira como Deus o formou. Aprendi a ver todas as coisas maravilhosas que Dave faz e a não me fixar nas poucas coisas que ele não faz.

Um coração grato pelo que de fato tem é um coração que consegue evitar a ira e o ressentimento com maior sucesso. Seja grato e declare isso, e resista à ira com determinação, porque se não o fizer, ela o ferirá mais do que a qualquer outra pessoa.

Necessidade de Correção

Naqueles primeiros anos do nosso casamento, eu realmente precisava que Dave me corrigisse, embora não gostasse disso no princípio. Ele fazia isso porque me amava e queria que nosso relacionamento fosse saudável. A Bíblia nos ensina que um verdadeiro amigo nos ferirá com golpes de correção quando necessário. Geralmente é mais fácil para nós simplesmente ignorar o comportamento equivocado porque não queremos lidar com o drama que se segue após exercemos a correção, mas a preocupação genuína pela outra pessoa não nos permite fazer isso.

Os filhos não precisam apenas de amor e afeto, eles precisam de correção. Se um filho não é corrigido, ele se torna rebelde e desrespeitoso. Um grande percentual de homens e mulheres que está nas prisões afirma que seus pais nunca os corrigiram adequadamente. Nossa filha Sandra e seu marido Steve têm filhas gêmeas que atualmente têm oito anos. Steve e Sandra são muito bons pais e demonstram muito amor, mas eles também são firmes quando precisam corrigi-las. Apenas para mostrar como as crianças reagem a um bom equilíbrio entre amor e correção, deixe-me compartilhar com você um bilhete que minha neta Angel escreveu para sua mãe enquanto estava passando a noite sozinha em seu quarto por ter dito uma mentira.

> *"Querida Mamãe, eu a amo muito, eu me importo com você e quero que você saiba que eu a amo muito, muito, muito, muito."*

Angel sabia que ser corrigida era o melhor para ela e que aquele era um ato de amor de seus pais. Ela escreveu um bilhete semelhante para o pai.

A Palavra de Deus nos diz que Ele castiga (corrige) aqueles a quem ama (ver Hebreus 12:6). Ele nos dá o exemplo que espera que sigamos com nossos filhos. Dê a seus filhos muito amor, muito perdão e, ao mesmo tempo, muito confronto e correção.

Muitas raízes de ira se estabelecem em nossa vida, e talvez a raiz da sua ira não tenha sido mencionada aqui. Peça a Deus para lhe mostrar por que você sente ira. Quando você se irar, pense não apenas no que deflagrou sua ira, mas tente se lembrar de outras vezes em sua vida em que você sentiu o mesmo. Você é capaz de perceber algum padrão?

Embora entender a raiz de um problema não resolva o problema em si, pode lhe trazer alguma percepção e entendimento, o que é um grande passo para a cura.

Temos muitas necessidades em nossa vida, e quando essas necessidades não são atendidas, elas podem fazer com que tenhamos problemas para dominar a ira, mas a verdade nos libertará. Simplesmente entender onde nossa ira tem origem é verdade suficiente para dar início ao processo de cura.

CAPÍTULO

4

As Raízes da Inveja

> A fúria é cruel e a ira é um rio impetuoso, mas quem pode resistir à inveja?
>
> Provérbios 27:4

A inveja é algo terrível. Para se referir a ela, muitas vezes é usada a expressão "monstro de olhos verdes", e isso porque a inveja devora a vida da pessoa que abre espaço para ela em seu coração. De acordo com Provérbios 27:4, ela é pior que a fúria e a ira. A inveja é um problema tão grande que sinto que ela merece um capítulo exclusivo.

Jennifer passou a vida se comparando com sua irmã Jacque; elas eram gêmeas, mas não idênticas. Jacque nasceu primeiro e tinha uma personalidade esfuziante e extrovertida, ao passo que Jennifer era tímida e tranquila. Em vez de encontrar e desenvolver suas habilidades, Jennifer adotou a característica preguiçosa de sentir inveja do que sua irmã podia fazer. Digo que a inveja é preguiça porque não precisamos fazer nenhum esforço para ficar sentados sentindo pena de nós mesmos e nos ressentindo contra aqueles que têm o que desejamos ter. Sim, Jacque tinha muitos talentos, mas, na verdade, Jennifer também tinha; entretanto, a amargura que sentia em relação à irmã a impedia de conhecê-los. À medida que os anos se passaram, o que poderia e deveria ter sido um relacionamento íntimo e amoroso entre irmãs se transformou em uma competição por parte de Jennifer. A inveja que estava sempre presente no coração de Jennifer lançou uma sombra escura sobre os anos de sua adolescência. Jacque era tão feliz e cheia de vida que mal notava a amargura nas atitudes de sua irmã, e isso enfurecia a outra ainda mais. Jennifer queria que sua irmã notasse o quanto ela era infeliz e, além disso, queria que sua irmã fosse infeliz também.

Quando elas se tornaram adultas e tiveram seus filhos, Jacque percebeu que havia algo de errado; porém, por mais que tentasse desenvolver um relacionamento íntimo com Jennifer, nunca conseguia. Elas eram educadas uma com a outra e se encontravam socialmente, mas a divisão estava sempre presente. Esse sentimento velado de ira podia ser percebido por todos, e toda a família sofria por causa da insegurança e inveja de Jennifer.

Como um ciclo semelhante a esse se inicia na vida de alguém? Satanás está sempre à espreita tentando encontrar uma forma de criar contenda entre as pessoas, principalmente entre os membros de uma família. Talvez os pais de Jennifer tenham elogiado Jacque por um trabalho bem feito no mesmo dia em que haviam corrigido Jennifer por uma decisão errada, e Satanás usou a situação para plantar uma semente de insegurança e amargura. Pode haver mil cenários diferentes, mas o resultado é sempre o mesmo. Quando vivemos em meio a contendas cujas raízes são a inveja, perdemos a paz, a alegria e a vida abundante que Deus deseja que tenhamos.

O décimo mandamento que Deus ordenou a Moisés que transmitisse ao povo foi: "Não cobiçará a casa do teu próximo, a mulher do teu próximo, nem a sua serva, nem o seu servo, nem o seu boi, nem o seu asno, nem nada que pertença ao teu próximo" (Êxodo 20:17). Esse mandamento significa que não devemos invejar ou sentir ciúmes de nada que outra pessoa possui. A inveja é um pecado que nasce no coração. É uma atitude que alimenta a contenda e a ira, gerando divisão. Deus quer que estejamos felizes pelas bênçãos recebidas por outros, e até que sejamos capazes de fazê-lo, geralmente, não obtemos o que desejamos. Ou se obtemos o que queremos, não conseguimos ficar contentes e felizes com isso porque sempre veremos alguém que possui mais do que nós e nos sentiremos infelizes novamente.

O apóstolo Paulo disse que ele não cobiçava nem o ouro nem a prata nem as vestes caras de homem algum (Atos 20:33). Ele estava contente em fazer o que Deus o havia chamado para fazer e em ser quem Deus o havia criado para ser. O contentamento é um sentimento abençoado, mas é algo que poucos conseguem sentir e conservar por muito tempo. Paulo sabia um segredo. Ele sabia que estava no centro da vontade de Deus e que Deus supriria o que quer que fosse a coisa certa para ele na hora certa. Ele não era um homem passivo, sem aspirações, mas era um homem de fé cuja confiança estava completamente depositada na bondade e na sabedoria de Deus.

João Batista foi outro homem de Deus que aparentemente não sentia inveja. A Bíblia diz em João 3:25-27 que uma controvérsia surgiu entre os discípulos de João e os de Jesus com relação à doutrina da purificação. João havia batizado as pessoas e agora os discípulos de Jesus haviam aparecido e estavam batizando, e as pessoas estavam se voltando para Jesus. Vemos a raiz da inveja causando ira e rivalidade. Quando o relato chegou a João, ele disse: "Um homem não pode receber nada (ele não pode reivindicar nada, ele não pode atribuir nada a si mesmo) exceto aquilo que lhe foi concedido do céu. (Um homem deve ficar contente por receber o dom que lhe é dado do céu; não há outra fonte.)".

Quando precisei lutar contra a inveja em minha vida e contra a raiva que sentia porque nem sempre tinha o que outros tinham, esses versículos realmente me ajudaram. Comecei a entender que se eu confiava em Deus, então eu tinha de confiar que Ele tinha me dado aquilo de que eu precisava e que era muito errado sentir inveja do que Ele (Deus) tinha dado a outra pessoa.

Deus nos conhece melhor do que nós mesmos, por essa razão podemos desfrutar de contentamento se confiarmos que, em Sua bondade, Ele nunca reterá nenhum bem de nós no tempo certo.

O apóstolo Tiago nos diz que a contenda (discórdia e rixa) e os conflitos (brigas e disputas) se originam das paixões que guerreiam dentro de nós. Temos ciúmes e cobiçamos o que outros têm, e nossos desejos acabam não sendo satisfeitos. Então começamos a odiar, o que equivale a assassinar alguém em nosso coração. Tiago afirma que as pessoas ardem de inveja e ira e não conseguem obter o que desejam — o contentamento e a felicidade que buscam. Então, Tiago diz algo que se tornou um versículo essencial em minha vida:

> Vocês não têm porque não pedem.
>
> Tiago 4:2

Essas poucas palavras me libertaram da frustração gerada por não ter o que eu queria e da inveja que sentia daqueles que o possuíam. Vi claramente que se quisesse alguma coisa, eu devia pedi-la a Deus e confiar nele, porque se fosse a coisa certa para mim, Ele a daria no Seu tempo. Deus tem muitas coisas para nos dar. Ele talvez não nos dê sempre o que outra pessoa tem, mas sempre nos suprirá com abundância se confiarmos nele e no Seu tempo para a nossa vida.

Também aprendi que se Deus não me deu o que pedi, não foi porque Ele estava retendo algo de mim, mas porque Ele tinha algo melhor em mente, e eu deveria ficar contente em esperar por aquilo. Antes de entender o que quer dizer este versículo: "Vocês não têm porque não pedem", meu coração estava cheio de contenda porque eu estava agindo pelas obras da carne e tentando fazer com que minhas ideias e meus planos funcionassem. Eu decidia o que queria e me comportava como se Deus fosse obrigado a dá-lo a mim. Eu tinha uma atitude muito infantil e egoísta. A inveja é realmente cruel.

Quando o Ódio se Transformou em Violência

O rei Saul estava tão dominado pela ira que tentou matar Davi diversas vezes. Sua ira resultava da inveja que estava enraizada no medo que ele sentia de perder a posição de rei para Davi (ver 1 Samuel 18:6-12). Saul estava tão enfurecido que em certa altura atirou sua lança na direção do próprio filho, Jônatas, porque ele e Davi eram amigos (ver 1 Samuel 20:30-34). Podemos ver imediatamente que a ira e a inveja se transformaram na fúria que o tornou um homem violento.

Há muitos exemplos bíblicos, mas não queremos ler sobre a vida de outras pessoas e ignorar o problema na nossa própria vida. Você sente inveja de alguém? Fica zangado quando alguém vence você em um esporte ou se sai melhor nos negócios ou em qualquer outra área da vida? Com muita frequência vemos a ira mostrar sua cara feia durante competições esportivas. Todos nós queremos vencer, mas quando queremos vencer a ponto de ficarmos com raiva daqueles que se saem melhor do que nós, estamos errados. Lembro-me de jogar vôlei em um campeonato da igreja e de ver os cristãos se comportarem de uma maneira nada temente a Deus por estarem envolvidos em uma competição. O monstro de olhos verdes da inveja está atrás de todos, por isso precisamos tomar cuidado.

Se você sente inveja de alguém por algum motivo, faça um favor a si mesmo e supere isso, porque sentir inveja nunca lhe trará nada a não ser infelicidade. Deus tem um plano único e especial para cada um de nós. Todos nós somos diferentes, mas igualmente valiosos, e saber disso nos ajuda a estarmos contentes e satisfeitos com quem somos e com o que temos.

Ser Diferente Não Significa Ser Pior

Todas as comparações e toda a competitividade presente em nossa sociedade são lamentáveis e são a causa de muita ira e divisão. Só porque somos diferentes das outras pessoas, isso não significa que somos piores do que elas — ou inferiores a elas. Tudo é valioso à sua maneira. Minhas mãos são muito diferentes dos meus pés, no entanto eles não sentem inveja um dos outros. Eles trabalham juntos de uma maneira linda, cada um realizando a função que Deus lhes designou. Deus quer que façamos o mesmo. Ele quer que vejamos nossa beleza, bem como nosso valor individual e que nunca nos sintamos inferiores por sermos diferentes de outra pessoa. Certa vez, ouvi um pastor dizer o seguinte: “Precisamos aprender a nos sentirmos confortáveis na nossa própria pele”.

A ira é um reflexo do sentimento de inferioridade. Precisamos nos relacionar com as pessoas como se fossem nossos iguais, sem ter a necessidade de nos sentirmos melhores do que elas e sem nunca nos sentirmos inferiores. Jesus é o grande equalizador! Por meio dele, somos todos iguais. Ele disse que não existe homem ou mulher, judeu ou grego, escravo ou livre, mas que todos somos um nele (Gálatas 3:28). O nosso valor não está no que podemos fazer, mas em quem somos e a Quem pertencemos. Pertencemos a Deus, e a nossa aparência, o nosso talento e outras habilidades vêm dele. Um homem baixo não pode se tornar um centímetro mais alto se preocupando ou sentindo inveja de alguém que é mais alto que ele. O que ele pode fazer é se esforçar para ser o melhor que puder na vida, sem nunca se comparar com ninguém.

Zaqueu era um homem de baixa estatura. Quando ouviu falar que Jesus estava passando, ele realmente quis vê-lo, mas sabia que nunca poderia ver Jesus por cima da enorme multidão. Zaqueu poderia ter ficado deprimido por causa de seu tamanho. Ele poderia ter entendido aquilo como uma deficiência e entrado em um processo de autocomiseração e passividade. Mas Zaqueu não fez nenhuma dessas duas coisas. Em vez disso, ele correu na frente da multidão e subiu em uma árvore para poder ver claramente. Quando passou, Jesus viu Zaqueu na árvore e disse a ele para descer porque Ele iria à sua casa para jantar (Lucas 19:1-6). Essa é uma das minhas histórias favoritas da Bíblia, porque vejo que a boa atitude de Zaqueu agradou a Jesus. Ele gostou tanto dela que passou um tempo especial com ele. Aquele homem teria perdido a oportunidade de estar com Jesus se tivesse ficado bravo por causa de sua baixa estatura.

Se está com raiva neste instante por causa de alguma coisa que você não é e gostaria de ser, recomendo firmemente que você aprenda uma lição com Zaqueu: faça o melhor que puder com o que você tem à disposição, e Deus sempre compensará a diferença e irá fazê-lo crescer na vida. Entenda que Deus formou você cuidadosamente com a própria mão no ventre de sua mãe, e Ele não comete erros. Tudo o que Deus fez é bom, e isso inclui você.

Sugiro que você tire alguns minutos e faça uma lista das coisas que não gosta acerca da sua aparência física ou habilidades. Depois de fazer isso, peça a Deus para perdoá-lo por não gostar do que Ele escolheu para você. Em seguida, rasgue a lista, jogue-a fora e peça a Deus para ajudá-lo a ser você mesmo de maneira plena e completa.

Até aprender essas coisas, eu queria que a minha voz fosse mais suave, minhas pernas fossem mais finas e meu cabelo fosse mais volumoso. Quando eu via mulheres que tinham o que eu queria, percebia que eu as isolava, excluindo-as da minha vida. Quando sentimos inveja de outra pessoa, isso impede que nós a valorizemos. Eu me ressentia contra aquelas mulheres que tinham o que eu queria, e me sentia inferior a elas. A verdade é que elas provavelmente também não gostavam de algumas coisas em si mesmas, e talvez até sentissem inveja de algo que eu tinha e elas, não.

A inveja é uma das ferramentas que Satanás usa para gerar divisão entre as pessoas, e é um total desperdício de tempo da nossa parte, porque ela não faz bem algum. E certamente ela não nos ajuda a conseguir o que pensamos querer.

Um dos motivos pelos quais estou escrevendo este livro é ajudar você a tomar a decisão de não continuar desperdiçando tempo fazendo coisas que não geram bons frutos. Estamos realmente fazendo um favor a nós mesmos quando nos recusamos a sentir inveja dos outros e simplesmente confiamos no amor de Deus por nós.

A história de José na Bíblia narra uma vitória impressionante. José era o caçula da família e era favorecido por seu pai. Não creio que seu pai o amasse mais que seus irmãos, ele apenas o amava de uma maneia diferente. José era o bebê, e os bebês geralmente tendem a receber um pouco mais de atenção em toda família. Seus irmãos sentiam ciúmes, e esse sentimento os deixou com raiva suficiente para vender José a mercadores de escravos e depois dizer a seu pai que José havia sido morto por um animal selvagem. José passou muitos anos vivendo em condições desfavoráveis, inclusive sendo aprisionado por treze anos por um crime que não havia cometido. Mas por ter uma atitude positiva, ele era sempre promovido nos diversos trabalhos que lhe eram designados. Deus sempre nos promove na vida se confiamos nele e não permitirmos que emoções como medo, inferioridade, ira e inveja nos governem. José poderia ter reagido à raiva de seus irmãos com raiva também. Ele poderia ter deixado que a ira o tornasse amargo e isso poderia ter arruinado a vida dele, mas ele não permitiu que a decisão errada de seus irmãos o controlasse.

Você está permitindo que uma decisão errada tomada por alguém faça com que você continue com raiva? Nesse caso, você está sendo tolo, porque há outra opção. Você pode fazer um favor a si mesmo superando o que essa pessoa fez. Nem sempre podemos mudar o que os outros fazem, mas não temos de permitir que as escolhas deles controlem o nosso comportamento. Deus deu a cada um de nós livre-arbítrio. Podemos escolher a vida ou a morte em toda e qualquer situação. Livre-arbítrio também significa que somos responsáveis por nossas escolhas, de modo que se estou infeliz isso é, na verdade, culpa minha, porque posso simplesmente escolher não estar.

Se lermos toda a história de José na Bíblia, aprenderemos que, por fim, sua família o procurou muito arrependida pela maneira como o havia tratado, e ele os tratou com graça ao ajudá-los durante um período de fome. José não apenas se recusou a ficar amargo e com raiva, ele rapidamente perdoou os irmãos que haviam feito algo realmente terrível com ele. A pessoa que perdoa é sempre superior àquela que é invejosa e cheia de ira. Apenas as pessoas de mente pequena permitem que a inveja e a ira determinem seu destino.

Jesus é Aquele que nos Cura

Aprendemos na Bíblia que Jesus veio para curar, mas a Sua cura nem sempre vem por meios milagrosos. A cura muitas vezes vem quando seguimos a orientação Daquele que cura ao nos instruir a levar uma vida saudável. Em outras palavras, se fizermos o que Jesus nos ensinou, não apenas teremos mais alegria, como também seremos mais saudáveis.

> Uma mente calma e despreocupada é a vida e a saúde do corpo, mas a inveja, o ciúme e a ira são como a podridão dos ossos.
>
> Provérbios 34:30

Isso é o que chamo de um versículo fantástico, do tipo UAU! A paz promove a cura, mas o tumulto, a inveja, o ciúme e a ira podem gerar uma saúde débil. Os médicos nos dizem que 80% de todos os sintomas físicos são induzidos pelo estresse e que ser saudável é impossível, a não ser que o estresse seja minimizado ou removido. A ira faz com que eu me sinta muito estressada, e estou certa de que ela faz o mesmo com você. A inveja é o sentimento de ira gerado pelo que outra pessoa tem e nós, não, e ela é prejudicial à saúde.

Qualquer tipo de ira, não importa qual seja a sua raiz, gera estresse, e o estresse gera doença. Quando houve aquele incidente com minha tia que mencionei anteriormente, lembro que me senti completamente esgotada depois de alguns dias sentindo raiva. Eu sentia dores em vários lugares, tinha dor de cabeça e estava muito cansada. A ira não é da vontade de Deus, e o nosso corpo não funciona bem com ela.

Uma mulher que frequentava a mesma igreja que eu me disse ter sofrido com artrite por muitos anos, até que conseguiu perdoar um membro da família que havia lhe feito uma grande injustiça. Quando ela perdoou, sua dor diminuiu gradualmente depois de alguns dias e nunca mais voltou. Não estou sugerindo que se você tem artrite também precisa perdoar alguém. Não estou dizendo que se você tem dores de cabeça isso se deve à inveja. Mas sugiro que você sonde seu coração e deixe que qualquer uma dessas emoções negativas sejam eliminadas antes de pedir a Deus que o cure. Acredito firmemente que emoções negativas são a causa de muitas doenças e que se livrar delas pode ajudar a promover cura e energia em nossa vida.

Jesus disse: "Eu sou o Caminho". Quando seguimos os caminhos de Jesus temos a melhor vida possível. Do mesmo modo, quando desobedecemos aos Seus princípios, podemos esperar ter problemas em todas as áreas da nossa vida.

Contentamento

Tenho um diário no qual escrevo todas as manhãs, e quando releio o que escrevi ao longo dos últimos anos, há várias páginas que simplesmente dizem: "Estou contente". Poder dizer isso significa muito para mim, porque perdi muitos anos com o descontentamento. Sempre havia algo mais que eu acreditava precisar ter para estar plenamente satisfeita. O apóstolo Paulo afirmou que ele havia aprendido "a estar contente (satisfeito a ponto de não ser perturbado)" em qualquer circunstância (Filipenses 4:11). Realmente creio que estar contente é algo que precisamos aprender, porque todo ser humano nasce com o descontentamento. Ele está na nossa carne e nunca ficará quieto a não ser que paremos de alimentá-lo.

Você está contente? Se não, busque o contentamento porque essa é uma sensação maravilhosa. Estar contente não significa que não queremos nada, mas significa que estamos contentes com o que temos até que Deus considere ser hora de nos dar algo mais. Um pai ou uma mãe fica magoado quando seu filho está descontente apesar das coisas que têm. Nós vemos o que já fizemos por eles, mas eles veem o que os outros têm e eles, não. Eles querem o melhor e mais moderno *smartphone*, o último computador, os tênis de marca, e assim por diante. Queremos que eles sejam gratos pelo que têm. Nós não nos importamos que nos peçam coisas, mas não queremos ser pressionados por uma atitude negativa de eterna insatisfação. Se nos sentimos assim com relação aos nossos filhos, como Deus vê o nosso descontentamento? Não creio que a maneira como agimos motive Deus a nos dar o que achamos querer, mas Ele pode se sentir motivado a nos fazer esperar por mais tempo até aprendermos o que é realmente importante na vida.

Nossos pensamentos alimentam nossos sentimentos, por isso, se você se sente descontente, a maneira de superar isso é mudando sua maneira de pensar. Pense no que você *tem* em vez de pensar no que não tem. Pense na sabedoria e na bondade de Deus e lembre-se de que Ele ouviu suas orações e lhe dará o que for melhor para você no Seu tempo perfeito. Todas as vezes que vir alguém ser abençoado, principalmente se ele tem alguma coisa que você quer e ainda não tem, agradeça a Deus por abençoar essa pessoa. Faça isso em obediência a Deus, e a alegria será liberada no seu coração.

Minha Amiga Invejosa

Tive uma amiga que sentia inveja do que Deus me dava, e isso me deixava muito desconfortável. Por exemplo, alguém me dava um lindo anel de presente, e o comentário de minha amiga era: "Eu gostaria que alguém me desse um anel". Parte de ser uma boa amiga é compartilhar genuinamente a alegria uma da outra. Por causa da sua atitude, depois que isso aconteceu, achava melhor não dizer a ela quando eu era abençoada. Eu tentava guardar meus comentários para não dizer nada que alimentasse a inveja e a insegurança dela. Estar com essa amiga se tornou muito penoso para mim, e infelizmente, finalmente comecei a evitá-la.

A boca fala do que o coração está cheio. Podemos ouvir a inveja sair da boca das pessoas, e também podemos ouvi-la sair de nós se ouvirmos com atenção. Estou decidida a fazer um favor a mim mesma e não sentir inveja de ninguém, e espero que você se una a mim nessa busca santa. A ganância, a inveja e o ciúme geram ira, e a ira não promove a justiça que Deus deseja.

CAPÍTULO 5

Mascarando a Ira

Pelo fato de a ira geralmente ser vista como um comportamento inaceitável, sempre encontramos maneiras de escondê-la dos outros e até de nós mesmos. Usamos outros tipos de comportamento para mascará-la. Uma máscara pode ser usada para esconder alguma coisa desagradável aos olhos, para impedir que as pessoas vejam o que está por trás dela. As máscaras são usadas em festas à fantasia para impedir que as pessoas saibam quem realmente somos ou para enganá-las e fazê-las pensar que somos alguém ou alguma coisa que na verdade não somos. É hora de tirar as máscaras, encarar a ira como ela é e lidar com ela de acordo com a vontade de Deus.

Vamos refletir sobre algumas das máscaras que usamos quando estamos com raiva.

A máscara da indiferença é uma maneira muito comum de mascarar a ira. Fingimos que não estamos zangados, mas nos tornamos frios (pouco calorosos ou emocionalmente distantes) em nosso trato com a pessoa de quem supostamente não estamos com raiva. Lembro-me de muitas vezes em minha vida ter feito a "oração oficial do eu perdoo", mas ter permanecido distante e fria com a pessoa que eu havia dito a Deus que estava perdoando. Como cristã, sei que não devo permanecer com raiva e que, a bem da verdade, é perigoso fazê-lo por motivos que discutirei mais tarde neste livro. Com a intenção de fazer a coisa certa, eu orava dizendo: "Deus, eu perdoo o fulano por me magoar; ajuda-me a superar a dor que sinto". Eu estava sendo sincera ao dizer isso, mas naquele momento não percebia que tinha de somar uma atitude obediente à oração obediente. Deus queria que eu desse o próximo passo e tratasse a pessoa calorosamente como se nada tivesse acontecido, mas eu não estava disposta a fazer isso.

A Bíblia diz em 1 Pedro 4:8 que devemos amar ardentemente. Um amor distante e frio nunca é aceitável aos olhos de Deus, porque é um fingimento do que Ele realmente deseja. O amor verdadeiro precisa ser genuíno, forte e caloroso, e não frio e distante. De acordo com a Bíblia, o amor dos cristãos se esfriará por causa da multiplicação da maldade e da iniquidade na Terra (Mateus 24:12). À medida que o fim dos tempos se aproxima e aguardamos a segunda vinda de Jesus Cristo, precisamos resistir com determinação, sem permitir que nosso amor pelos outros se torne frio e sem vida.

Por ser uma pessoa responsável, sempre cumpro minhas obrigações, mesmo quando elas se referem a alguém com quem estou zangada. Cumpri com meu compromisso com algumas pessoas que me aborreceram, mas muitas vezes o fiz friamente, sem demonstrar nenhum afeto ou bondade genuína. Por exemplo, houve vezes em que estava zangada com toda a minha família por me decepcionar de alguma forma e ainda assim cozinhei e servi o jantar deles. Eu cumpria minha obrigação, mas o fazia de modo mecânico e frio. Se alguém me perguntasse se havia algo de errado, eu dizia: "Não, estou bem". Estou certa de que você conhece bem esse tipo de comportamento. É uma das maneiras que usamos para fingir que está tudo bem quando, na verdade, estamos nos escondendo atrás de uma máscara com a qual esperamos enganar os outros fazendo com que pensem que estamos nos comportando da maneira adequada.

Sempre consigo sentir quando alguém está fazendo alguma coisa para mim por obrigação e não porque deseja, e devo dizer que não gosto nada disso. Eu preferiria que essa pessoa não fizesse nada, porque posso sentir quando alguém está fingindo. Estou certa de que outros também podem sentir quando me comporto assim, e assumi o compromisso de ser genuína, e não falsa. Creio ser melhor admitir que estou zangada e que preciso de algum tempo para superar isso, do que fingir não haver nada errado enquanto estou fervendo de raiva por dentro.

Isolando As Pessoas do Lado de Fora da Nossa Vida

A máscara do repúdio — Temos muitas maneiras de isolar as pessoas do lado de fora da nossa vida. O tratamento do silêncio é uma dessas maneiras. Quando estamos com raiva, às vezes explodimos, e às vezes ficamos calados. Dizemos a nós mesmos e aos outros que não estamos irados, porém nos recusamos a falar com a pessoa de quem supostamente não estamos com raiva. Se precisamos falar com ela, dizemos o mínimo possível. Mur-

muramos, resmungamos, acenamos ou fazemos qualquer coisa, menos falar normalmente. Houve vezes em que eu fiquei com raiva e a sensação era como se minha boca estivesse fechada com cimento. Mesmo quando sabia que precisava falar com a pessoa e parar de agir de maneira infantil, era preciso usar toda a minha força de vontade para abrir a boca e falar.

Podemos afastar as pessoas da nossa vida evitando tocá-las. Eu ficava zangada com Dave e literalmente me espremia do meu lado da cama para evitar tocá-lo, a ponto de parecer estar dormindo na beira do colchão. Eu passava frio a noite inteira porque me recusava a pedir a ele para me dar uma parte da coberta. Esse era um comportamento insensato da minha parte porque Dave dormia maravilhosamente enquanto eu me sentia infeliz a noite inteira! Lembro-me dessas vezes e do quanto minha alma estava angustiada e fico extremamente feliz porque, com a ajuda de Deus, superei esse tipo de comportamento.

Você já ficou tão irado a ponto de evitar ficar no mesmo cômodo que a pessoa de quem você sente raiva? Se ela entra na sala onde você está, você encontra um motivo para sair. Se ela quer assistir à televisão, você quer se deitar; mas se ela quiser se deitar, você quer ficar acordado e assistir à televisão. Quando ela quer comer, você não está com fome. Se ela quer dar um passeio ou sair de carro, você está com dor de cabeça. Todos esses comportamentos são máscaras que usamos, agindo como se tudo estivesse bem quando, na verdade, o nosso comportamento expõe a verdade.

Eu me recusava a levar o café para Dave de manhã, a fazer sua comida favorita ou a telefonar para lhe dizer coisas que normalmente diria, enquanto isso eu dizia a mim mesma que eu o havia perdoado por ter me ofendido. Esse tipo de comportamento nos mantém cativos, mas a obediência à Palavra de Deus nos libertará.

Alguns pregadores ou pastores usam seus púlpitos e pregações para tratar de questões que os deixaram irritados com a congregação ou com membros específicos da congregação. Eles mascaram sua ira em um sermão que supostamente receberam de Deus. Conheço um casal de pastores que se divorciou devido à infidelidade do marido. A esposa continuou pregando, mas durante quase dois anos todas as suas pregações eram sobre pessoas que nos controlam e manipulam. Ela pregava sobre não permitir que as pessoas nos usem, sobre como ter relacionamentos seguros, e outras coisas nesse sentido. Tudo o que ela compartilhava com a congregação parecia ser algo originado da sua situação naquele momento. Ela estava pregando com base em sua dor, em vez de pregar de acordo com a direção do Espírito Santo. Ela me dizia repetidamente que havia perdoado seu marido e estava seguindo em frente, mas raramente tínhamos uma conversa em que ela não mencionasse o que ele havia feito. Se continuamos a falar sobre nossas feridas, é sinal de que ainda não as superamos. Podemos fingir que sim, mas, na verdade, isso não aconteceu.

A Bíblia declara que o coração é enganoso acima de tudo e que é difícil uma pessoa conhecer o próprio coração (Jeremias 17:9). Enganar a si mesmo é uma maneira de se esconder da verdade. Posso dizer a mim mesma que não estou mais com raiva e que perdoei, mas se eu tratar uma pessoa friamente, me recusar a falar com ela, evitá-la e continuar a falar sobre o que ela fez para me magoar, eu não perdoei e estou ferindo a mim mesma mais do que a qualquer outra pessoa.

O Mau Uso da Bíblia

A máscara da Bíblia — creio que podemos até mesmo usar a Bíblia para descarregar nossa raiva nas pessoas. Um bom exemplo é Efésios 4:15, que diz: "Falem a verdade em amor". Esse versículo em geral é usado como uma "capa" para expressar a nossa ira ou decepção com as pessoas enquanto dizemos a elas o que verdadeiramente fizeram. Estamos dizendo a elas a verdade em benefício delas ou nosso? Estamos dizendo a verdade em amor por causa de uma preocupação genuína com elas ou descobrimos um novo método supostamente aprovado por Deus para criticá-las?

Fui vítima de algumas pessoas que estavam "falando a verdade em amor". Entretanto, o que elas diziam me feriu e me trouxe problemas. Lembro-me de uma mulher que disse: "Joyce, preciso ser honesta com você em relação a algo", e eu podia ver no seu tom de voz que provavelmente não gostaria do que ela estava prestes a dizer. Ela prosseguiu dizendo como eu a havia ofendido em uma das minhas pregações e o quanto ela estava terrivelmente magoada, mas depois me garantiu que havia me perdoado. Isso, naturalmente, foi ridículo, e ela estava enganando a si mesma, porque se ela tivesse realmente me perdoado, não haveria necessidade de tocar no assunto. Ela simplesmente usou um versículo da Bíblia para descarregar sua raiva.

Como eu disse anteriormente, há momentos em que precisamos confrontar os outros sobre seu comportamento, mas precisamos nos certificar de que estamos fazendo isso em benefício deles e de nós mesmos. Precisamos acima de tudo ter certeza de que estamos confrontando aquela pessoa porque Deus nos ordenou, e não meramente porque decidimos fazê-lo. Algumas pessoas não gostam de confronto, mas isso raramente era um problema para mim. Na verdade, eu tive de aprender a não confrontar a não ser que fosse a vontade de Deus. Há momentos em que Deus deseja que lidemos com uma situação e que a guardemos para nós mesmos sem dizer nada a ninguém. O fato de uma pessoa ter ferido meus sentimentos não significa que preciso dizer isso a ela. A melhor decisão — e a que está mais de acordo com as instruções de Deus — talvez seja não expor a ofensa e deixar para lá.

Nossa ira pode se transformar em um drama. Encenamos esse drama de muitas formas e, é triste dizer, muitas vezes enganamos a nós mesmos tentando nos convencer de que não somos pessoas cheias de ira. Peça a Deus para lhe mostrar se você está mascarando sua ira de alguma maneira e, se estiver, tire suas máscaras e comece a deixar Deus trazer cura à sua vida. Mais uma vez, deixe-me lembrar a você: "A verdade os libertará".

Minha Vida é um Caos Por Causa da Ira

Um Saco de Pregos

Era uma vez um garotinho que tinha um temperamento difícil. Seu pai lhe deu um saco de pregos e lhe disse para pregar um deles na cerca todas as vezes que perdesse a calma. No primeiro dia, o menino pregou trinta e sete pregos na cerca. Gradualmente, porém, o número diário de pregos foi diminuindo.

Ele descobriu que era mais fácil controlar seu temperamento do que colocar os pregos na cerca. Finalmente, chegou o dia em que pela primeira vez o garoto não perdeu a calma em nenhum momento. Ele contou isso orgulhosamente a seu pai, e o pai sugeriu que o garoto agora retirasse um prego para cada dia em que conseguisse controlar o temperamento. Os dias se passaram e o garotinho finalmente pôde dizer ao pai que todos os pregos haviam sido retirados. O pai tomou seu filho pela mão e o levou até a cerca. "Muito bem, meu filho, mas veja todos os buracos na cerca. A cerca nunca mais será a mesma. Quando você diz certas coisas movido pela ira, elas deixam marcas exatamente como estas. Você pode enfiar uma faca em um homem e retirá-la, mas não importa quantas vezes você diga que sente muito, a ferida ainda estará ali".

Quais são os resultados da ira em longo prazo? Todas as áreas da nossa vida são danificadas por ela. O corpo, a alma e o espírito são negativamente afetados. Nossa saúde e nossos relacionamentos também. Perdemos a possibilidade de ter um futuro bem-sucedido por causa da ira, já que ela afeta nossa personalidade, e pessoas cheias de ira geralmente têm dificuldade de se manter no emprego. Nunca poderemos ser as pessoas que Deus pretende que sejamos se permanecermos irados. Creio que toda a sociedade é afetada pela nossa ira, mas somos afetados mais do que qualquer outra pessoa, e é por isso que digo sempre: "Faça um favor a si mesmo, perdoe". Lembre-se de que, ainda que sua ira seja resultado de uma ofensa justificável, você ainda não está ajudando a si mesmo ou resolvendo a situação permanecendo preso a ela.

A lápide de um homem dizia:

Aqui jaz Pedro Silva.
Ele era um homem cheio de ira.
Sempre mal-humorado, sempre irritado.
Morreu jovem, deixando todos nós aliviados.

Todo mundo fica feliz quando uma pessoa que está sempre brava não está mais por perto, porque ela deixa os outros estressados. Meu pai foi um homem controlado pela ira durante a maior parte de sua vida, e sua raiva criava uma atmosfera estressante. Minha mãe disse várias vezes após ele morrer o quanto gostava de ficar simplesmente sentada em seu apartamento em paz e tranquilidade. Minha mãe ficou com meu pai porque estava comprometida com o casamento, mas o estresse vivido por ela prejudicou sua saúde, e a ira que meu pai sentia também prejudicou a saúde dele.

O estresse, principalmente o estresse em longo prazo, afeta todos os órgãos do corpo. A pressão sanguínea, o coração e o estomago são afetados. As pessoas iradas envelhecem mais depressa do que as pessoas pacíficas: dores de cabeça intensas, problemas intestinais, ansiedade ou distúrbios imunológicos — a lista é interminável. A verdade é que pessoas cheias de ira geralmente morrem mais cedo que aqueles que perdoam rapidamente.

Creio que é hora de encarar a verdade sobre a ira e lidar com ela. Se você é uma pessoa controlada pela ira, tome a decisão de chegar à raiz do seu problema e trabalhar com o Espírito Santo para ser liberto. Não mascare nem ignore a ira. Encare-a de frente e dê a ela o nome que ela tem. Dizer "estou com raiva" não soa como algo muito bonito a se dizer, mas admitir isso é o primeiro passo para superar o problema. É algo que você precisa fazer por si mesmo. Os outros se beneficiarão dos efeitos positivos de sua cura, mas ninguém se beneficiará tanto quanto você.

Eu tinha trinta e dois anos quando me abri para encarar a verdade sobre meu passado. Meu pai abusou de mim sexualmente. Ele começou a me molestar quando eu era muito pequena e continuou a fazê-lo até eu ter idade suficiente para ele fazer sexo comigo, e nos últimos cinco anos em que morei em casa, ele me estuprou aproximadamente duzentas vezes. Sei que isso parece chocante, e é, mas encarar essa verdade de frente foi uma das coisas que tive de fazer para superar esse trauma. (Meu testemunho detalhado está disponível em um DVD do nosso ministério.)

Depois que saí de casa, aos dezoito anos, presumi que o problema havia ficado para trás, mas eu não fazia ideia do quanto ele estava me machucando. Quando iniciei minha jornada buscando encarar a verdade e perdoar, eu realmente não fazia ideia do quanto isso me ajudaria no final das contas. A princípio eu só queria obedecer a Deus e perdoar. Pessoas controladas pela ira não podem amar da maneira adequada, porque o que está dentro de nós sempre encontra uma maneira de sair. Todos os meus relacionamentos estavam sendo prejudicados pela raiva e pelo ressentimento, mas eu não sabia disso. Minha ira tinha raízes profundas na minha alma. Ela estava no meu pensamento, nas minhas emoções, nas minhas palavras e em todos os meus atos porque fazia parte de mim. A ira havia estado comigo por tanto tempo que eu não a reconhecia pelo que ela era.

Enquanto eu estudava a Palavra de Deus, o Espírito Santo começou a me mostrar os problemas que eu tinha. Antes disso, eu só conseguia pensar no que os outros haviam feito comigo, e nunca me ocorreu que minha reação às atitudes deles fosse alguma coisa com a qual eu precisava me preocupar. Acreditava ter toda razão em me ressentir não apenas em relação ao meu pai, que me feriu, mas contra as pessoas que poderiam ter me ajudado e não o fizeram. Como Deus podia pedir a mim ou a outros que sofreram abuso para perdoar ofensas inomináveis? Ele faz isso por saber que é o melhor para nós. Deus tem um plano para nos restaurar completamente, e qualquer coisa que Ele nos peça para fazer é porque Ele nos ama e tem em mente o melhor para nós. Ele nos dará a graça para perdoar, ainda que pareça impossível para nós, se estivermos dispostos a obedecer a Ele.

Quando falo com você sobre superar a ira e fazer do perdão um estilo de vida, falo por experiência própria. Eu não apenas sei o quanto é difícil fazer isso, como também sei o quanto é valioso para você quando o faz. Portanto, eu o encorajo firmemente a não apenas ler este livro para acrescentá-lo à sua lista de "livros que já li", mas a lê-lo com o coração aberto e pronto para aplicar o que você leu em sua própria vida.

Deus tem uma vida maravilhosa preparada para cada pessoa e à disposição de cada um de nós, e se cooperarmos com Ele fazendo o que Ele nos pede, desfrutaremos essa vida. Se não o fizermos, perderemos essa oportunidade. Deus ainda nos amará, mas perderemos a alegria do Seu bom plano. Faça um favor a si mesmo e recuse-se a perder qualquer uma das coisas boas que Deus preparou para você.

CAPÍTULO

6

Você Está com Raiva de Quem?

Como afirmei, geralmente sentimos raiva daqueles que nos feriram ou magoaram. Podemos sentir raiva daqueles que nos magoaram há muito tempo e daqueles que nos ferem diariamente. Ficamos irados com a injustiça e nossa alma grita dizendo que aquilo não é justo! Mas os outros nem sempre são a fonte da nossa raiva. A Bíblia nos diz para estarmos em paz com Deus, com nós mesmos e com o nosso próximo (1 Pedro 3:10-11).

Estou Furioso Comigo

Você está zangado consigo mesmo? Muitas pessoas se sentem assim. Na verdade, provavelmente podemos dizer que há mais pessoas que têm problemas com elas mesmas do que pessoas que se sentem totalmente em paz com si próprias. Por quê? Como discutimos anteriormente, temos expectativas pouco realistas e nos comparamos com os outros, consequentemente sentindo que não estamos à altura deles. Podemos sentir uma vergonha profunda por alguma coisa que fizemos ou por algo que nos foi feito. Sentimo-nos tão culpados que ficamos com raiva de nós mesmos. Muitas vezes, porém, as pessoas estão zangadas com elas mesmas porque fazem coisas que não consideram certas e não sabem como receber de Deus o perdão e o poder para superar seu comportamento inaceitável.

Acredite se quiser, o primeiro passo para estar em paz com você mesmo é encarar seu pecado de frente e chamá-lo pelo nome. Ignorar ou inventar desculpas para seu mau comportamento nunca é o caminho para a liberdade. Enquanto estivermos fazendo coisas pecaminosas, nunca poderemos estar genuinamente em paz com nós mesmos. Enquanto falharmos em reconhecer e em assumir a responsabilidade pelo nosso pecado, ele continuará a nos incomodar.

Recebendo o Perdão de Deus

Quando admitimos que somos pecadores, precisamos nos arrepender dos nossos pecados. Isso significa não apenas nos arrependermos em nosso coração pelos pecados que cometemos, mas estarmos dispostos a nos afastar deles. Viver em pecado é ter uma vida inferior à que podemos ter, mas quando nos arrependemos voltamos ao lugar mais alto que Deus deseja para nós. A cobertura é o apartamento mais alto de um prédio; ela fica no último andar. Quando nos arrependemos, voltamos ao lugar mais alto que Deus tem para nós — o lugar da paz e da alegria na Sua justiça.

Assumir e admitir plenamente a responsabilidade pelo nosso pecado pode ser difícil no começo. Geralmente passamos a vida toda culpando os outros e inventando desculpas, por isso achamos difícil simplesmente dizer: "Sou culpado. Pequei". Mas todos pecaram e estão destituídos da glória de Deus, de modo que dizer que pecamos não nos coloca em situação pior do que qualquer outro ser humano no planeta.

> Se dissermos que não temos pecado [recusando-nos a admitir que somos pecadores], iludimos e enganamos a nós mesmos, e a Verdade [que o Evangelho apresenta] não está em nós [não habita em nossos corações].
> Se admitirmos [livremente] que pecamos e confessarmos os nossos pecados, Ele é fiel e justo [fiel à Sua própria natureza e às Suas promessas] e perdoará os nossos pecados [descartará a nossa iniquidade] e nos purificará [continuamente] de toda injustiça [tudo que não está em conformidade com a Sua vontade em propósito, pensamento e ação].
>
> 1 João 1:8-9

Há diversas notícias nessa passagem da Bíblia que amo e me fazem sentir confortada, mas gosto especialmente do fato de que Deus nos purifica *continuamente* de todo pecado. Creio que isso nos mostra que se andamos com Deus, admitindo rapidamente nossos pecados e nos arrependendo deles regularmente,

Ele está sempre nos purificando. A Bíblia diz que Jesus está sentado à direita de Deus intercedendo por nós continuamente, e suponho que seja porque precisamos disso continuamente. Isso também me conforta.

Ele nos purifica de *toda* injustiça, e se acreditarmos nisso e recebermos Seu perdão pela fé, não precisaremos mais ficar com raiva de nós mesmos o tempo todo. Não há pecado que você ou eu possamos cometer que esteja além do *TODO* de Deus. Quando Ele diz toda injustiça, Ele quer dizer *TODA*!

Assim como todos pecaram e estão destituídos da glória de Deus, todos são justificados e colocados em um relacionamento correto com Ele por meio da redenção que é dada em Jesus Cristo (Romanos 3:23-24). E "todos" inclui você e eu!

O perdão de Deus é um dom gratuito, e não há nada que possamos fazer com uma dádiva gratuita a não ser recebê-la e ser grato. Creio que temos o hábito de pedir perdão, mas ainda falhamos quando se trata de recebê-lo. Depois de pedir a Deus que o perdoe por algo que fez de errado, diga a Ele que você recebe Seu presente e passe algum tempo na Sua presença para que você possa entender o quanto esse presente realmente é maravilhoso.

Não Tenha Medo do Pecado

Todas as vezes que temos medo de alguma coisa, permitimos que isso nos controle, por isso encorajo você a não ter medo do pecado. O apóstolo Paulo escreveu que o pecado não tem mais nenhum poder sobre nós se cremos que quando Cristo morreu nós morremos, e quando Ele ressuscitou nós ressuscitamos para uma nova vida vivida para Ele (Romanos 6:5-8). Jesus cuidou completamente do problema do pecado. Ele não apenas nos perdoa completa e continuamente, como também enviou Seu Espírito Santo para nos convencer do pecado em nossa vida diária e nos fortalecer contra ele.

Quando entendemos que somos pecadores e precisamos de um Salvador, recebendo Jesus Cristo como o Único que pode suprir essa necessidade, estamos a caminho de uma nova vida e de um novo estilo de vida. Se um dia pecamos sem nem sequer nos importarmos, agora, após termos recebido o Espírito de Deus em nosso coração, nos tornamos muito conscientes do pecado e por isso passaremos a vida resistindo a ele e evitando-o. Fazemos isso com prazer como um serviço a Deus, e confiamos totalmente no Espírito Santo para nos ajudar. A tentação virá para todos, mas podemos ter certeza de que Deus nunca permitirá que nos sobrevenha qualquer tentação que não seja comum aos homens (1 Coríntios 10:13). Em outras palavras, nossas tentações não são piores do que as de ninguém, e devemos crer que elas não estão além da nossa capacidade de resistir. Deus nunca permite que nos sobrevenha mais do que podemos suportar, e para cada tentação Ele também providencia o escape. Essas são de fato boas notícias! Não temos de temer a tentação, porque Aquele que é maior vive em nós, nos dando poder divino para resistir, se tão somente confiarmos nele e pedirmos Sua ajuda.

As pessoas cedem à tentação quando tentam resistir confiando em sua própria força, ou quando erroneamente acreditam que não podem resistir. Ouço as pessoas fazerem afirmações ridículas do tipo "Se eu como um cookie com gotas de chocolate, simplesmente não consigo resistir e como o pacote inteiro", ou

"Sei que o açúcar me faz mal, mas não consigo resistir e acabo comendo chocolate todos os dias". Digo que essas afirmações são ridículas porque elas estão fundamentadas em mentiras nas quais acreditamos. Satanás nos diz que somos fracos e não podemos resistir até a mais simples das tentações, mas Deus nos diz que somos fortes nele e nada está além da nossa capacidade de resistir. Aquilo no qual escolhemos crer é o fator decisivo quando se trata de ceder ao pecado ou derrotá-lo. Reserve alguns minutos do seu tempo e pergunte a si mesmo se você está acreditando em coisas que não estão de acordo com a Palavra de Deus. Você acredita que pode resistir à tentação por meio do poder do Espírito Santo e exercendo o fruto do domínio próprio, ou acredita que há algumas tentações às quais você simplesmente não consegue resistir? O que acreditamos se torna realidade; portanto, é crucial que cada um de nós saiba se aquilo no qual acreditamos é a verdade ou um engano do diabo.

O apóstolo Paulo orou para que a Igreja conhecesse e acreditasse no poder que estava à sua disposição por meio de Jesus Cristo. Se você é um crente em Jesus Cristo, você tem poder e pode resistir à tentação!

Todos nós pecamos e enquanto estivermos em corpos de carne e osso com almas que não foram completamente renovadas, precisaremos de perdão, mas não temos de temer o pecado. Leia atentamente este trecho da Bíblia:

> Meus filhinhos, eu lhes escrevo estas coisas para que vocês não transgridam a lei de Deus e pequem. Mas, se alguém pecar, temos um Advogado (Um Advogado que intercede por nós) junto ao Pai — [Ele é]

> Jesus Cristo, o justo [reto, que se conforma com a vontade do Pai em todos os propósitos, pensamentos e ações].
> E Ele [este mesmo Jesus] é a propiciação [o sacrifício expiatório] pelos nossos pecados, e não apenas pelos nossos, mas também pelos [pecados] do mundo inteiro.
>
> 1 João 2:1-2

Esses versículos são incrivelmente maravilhosos. A primeira vez que compreendi de fato o que essas palavras significavam, eu estava vivendo um momento no qual lutava diariamente para fazer a coisa certa. Assim poderia me sentir bem comigo mesma e acreditar que Deus não estava zangado comigo. Obviamente, meu pensamento estava equivocado, mas essa era a minha realidade naquele momento. Quando percebi que devia simplesmente me levantar todos os dias e fazer o meu melhor, acreditando que Deus cuidaria de quaisquer erros que eu cometesse, senti como se um enorme peso tivesse sido tirado dos meus ombros.

Esses versículos dizem que Jesus é a propiciação pelo nosso pecado. O que isso quer dizer? Ele é quem apazigua a ira de Deus para com o pecado.

Deus odeia o pecado, mas não odeia os pecadores. Quando uma mulher está muito irada com seu marido porque ele não a respeita, e ele lhe envia três dúzias de rosas vermelhas com um pedido de desculpas, as rosas se tornam uma forma de apaziguar a ira dela. Ela o perdoa e tudo fica bem novamente. Jesus é como rosas enviadas por nós entregues a Deus quando Ele está irado com nosso pecado. Ele é nossa propiciação, e Deus nos perdoa por causa de Cristo. Não há nada em nós que possa apaziguar Deus e nada que possamos fazer para compensar ou servir como sacrifício pelos nossos pecados, mas Jesus é o sacrifício perfeito e Ele é o nosso substituto. Ele é o Advogado que toma o nosso lugar perante Deus, e somos perdoados por causa da nossa fé nele.

Crer nessas verdades é o primeiro passo para a libertação do pecado e da ira destinada a nós por causa do pecado. Quando peco costumo me sentir decepcionada comigo mesma e oro para que eu me saia melhor da próxima vez, mas hoje não sinto mais raiva de mim mesma, porque sei que essa não é a vontade de Deus e não adiantará de nada.

Lidando Severamente com o Pecado

Além de saber como receber rápida e completamente o perdão de Deus quando pecamos, também precisamos resistir firmemente ao pecado e lidar com ele de maneira severa. O fato de Deus estar disposto a nos perdoar não significa que podemos pecar livremente e achar que isso não é um problema. Deus conhece nosso coração, e ninguém tem um coração reto se não odeia o pecado e faz todo o possível para evitá-lo.

Os romanos perguntaram a Paulo se deveriam continuar pecando para que a graça (a bondade e o perdão) de Deus pudesse transbordar em abundância. Paulo respondeu dizendo: "Como podemos nós, que morremos para o pecado, continuarmos vivendo nele?" (Romanos 6:1-2). Paulo lembrou-lhes de que quando eles receberam a Cristo, tomaram a decisão de não mais se relacionar com o pecado. O pecado nunca morre; ele sempre estará vivo e ativo sobre a face da Terra, mas nós morremos para o pecado. Deus nos dá um novo coração e o Seu Espírito, e isso significa que temos um novo "querer". Passamos a vida resistindo ao pecado, simplesmente porque não queremos mais pecar. Se tivermos essa atitude, quando cometermos erros, Deus estará sempre pronto para nos perdoar.

Se você é um cristão genuíno, posso lhe garantir que você não se levanta da cama de manhã procurando formas de pecar e se safar depois. Ao contrário, você faz tudo o que pode para viver uma vida que seja agradável a Deus.

Se não mantivermos uma postura firme e determinada em relação ao pecado, então nosso coração nos condenará e acabaremos ficando com raiva de nós mesmos. A Bíblia nos ensina a lidar com o pecado de maneira muito severa e até mesmo violenta. Em Mateus 18:8-9, somos instruídos a arrancar nosso olho se ele nos ofender, e se nossa mão nos ofender, a cortá-la fora.

Não creio que isso seja algo que devamos interpretar literalmente, mas devemos entender que Deus está nos dizendo para termos uma atitude agressiva com relação ao pecado, cortando-o fora sempre que o encontrarmos em nossa vida. Se uma revista chega a sua casa com imagens de mulheres vestidas de forma vulgar (o que acontece com frequência) e seus olhos começam a olhar para aquilo e até mesmo gostar, rasgue a revista depressa e jogue-a no lixo. Lide com o assunto depressa. Nem sequer flerte com o pecado. Existem literalmente dúzias de exemplos que eu poderia citar, mas vou apenas lhe dar mais dois. Você é uma mulher casada e um homem no trabalho começa a ser muito amigável com você. Ele a convida para encontra-se com ele para tomar um café, claro que apenas para conversar sobre o trabalho. Você sente no seu coração uma convicção de que aquela não seria uma atitude sábia, e quando isso acontecer, você deve imediatamente eliminar a questão antes que ela se torne um problema de fato. Você teve uma discussão com algum familiar, e Deus o está encorajando a ser a pessoa que tomará a iniciativa para fazer as pazes. Faça isso depressa antes de se convencer do contrário, e isso o impedirá de pecar e continuar zangado. A Bíblia nos ensina em Romanos 13:14 a não darmos lugar à carne, e isso significa em parte não inventar desculpas para justificá-la, nem dar oportunidade a ela. A mulher casada que decide tomar café com um colega de trabalho, depois de ter recebido a convicção de Deus de que isso seria errado, está dando lugar ao pecado.

Certa vez, li a respeito de uma garotinha que estava andando por uma trilha na montanha e estava muito frio. Uma serpente se esgueirou ao seu lado e pediu que ela a pegasse e a deixasse descansar dentro do seu casaco. Por algum tempo ela resistiu, mas finalmente cedeu aos apelos da serpente. Depois de pouco tempo, a serpente mordeu a menina, e ela gritou: "Por que você me mordeu depois de eu ter sido tão boa para você?" A serpente respondeu: "Você sabia o que eu era quando me pegou no colo". Creio que podemos nos identificar com essa pequena história. Certamente todos nós passamos por momentos nos quais bem lá no fundo sabíamos que não devíamos fazer alguma coisa, mas à medida que a tentação continuou, cedemos e fizemos aquilo, apenas para depois ter de lidar com as consequências. Todos nós cometemos erros, mas não temos de continuar cometendo-os. Aprender com nossos erros é uma das coisas mais sábias a se fazer.

Deus nos instrui a nos despirmos e a colocarmos de lado todo peso e o pecado que tão facilmente nos assedia (Hebreus 12:1). Essa instrução nos mostra que devemos lidar com o pecado de forma severa e rápida e, se fizermos isso, colheremos a recompensa de uma vida reta. Também teremos paz em nosso coração por sabermos que fizemos a coisa certa.

Sou muito grata pelo perdão dos pecados, mas não quero precisar dele a cada instante. É meu desejo disciplinar a mim mesma para fazer as escolhas certas a fim de que, assim, eu possa me alegrar por acreditar que agradei a Deus.

O Pecado Oculto

Não podemos tratar o pecado de maneira severa e eficaz se ficamos inventando justificativas para ele ou se o mantivermos escondido. Todos nós devemos examinar nosso coração e ser ousados o suficiente para sermos honestos com nós mesmos sobre qualquer comportamento pecaminoso em nossa vida. O apóstolo Paulo disse que ele trabalhava diligentemente para manter uma consciência livre de ofensas a Deus e aos homens (ver Atos 24:16). Que postura! Ele se esforçava para detectar e manter o pecado fora da sua vida. Paulo conhecia o poder de se ter uma consciência limpa diante de Deus. Devemos nos esforçar ao máximo para não pecar, mas quando pecarmos, nunca devemos inventar desculpas para justificar nosso comportamento nem manter o pecado escondido. Nossos segredos podem nos tornar infelizes, enquanto a verdade nos liberta.

Tudo o que não procede da fé é pecado (Romanos 14:23). Se não pudermos fazer algo pela fé, então não devemos fazê-lo.

Se uma coisa é pecado então a chame de pecado, não a chame de "o problema", "a dificuldade" ou "o vício". O pecado é feio, e se nós o encobrimos usando palavras que soam melhor, é mais provável que continuemos pecando.

Devemos examinar nossa vida à luz da Palavra de Deus, e quaisquer coisas que não estejam de acordo com ela devem ser vistas pelo que são, e devemos resistir a elas usando toda a capacidade que Deus nos deu. Se pedirmos a Ele, Deus sempre nos ajudará. Somos parceiros de Deus e Ele nunca espera que façamos nada sem a Sua ajuda. Deixe-me dizer mais uma vez: não esconda o pecado, traga-o à luz, chame-o pelo nome, e não tente justificá-lo nem culpe ninguém pelas suas más escolhas. Receba o perdão completo de Deus pelos pecados cometidos no passado e trabalhe com o Espírito Santo para resistir com determinação a toda tentação no futuro.

Agora, faça um favor para você mesmo e perdoe a si próprio total e completamente. Abra mão de toda ira que talvez sinta contra você por causa de quaisquer fracassos que acredita ter tido na vida, e comece a viver a boa vida que Deus preparou desde o início e colocou à sua disposição (Efésios 2:10).

Você Está Com Raiva de Deus?

Se em algum momento você já ouviu algo a respeito de Deus, você ouviu dizer que Ele é bom e nos ama. Diante disso, é natural nos perguntamos por que existe tanta dor e tragédia no mundo. Se Deus tem todo poder e pode fazer qualquer coisa que deseje, então por que Ele não impede que soframos? Essa pergunta e outras semelhantes a ela têm deixado a humanidade perplexa desde o princípio dos tempos.

Crianças sofrem abuso, ouvimos falar constantemente de guerras e devastação, bem como da fome no mundo que ceifa milhões de vidas. Os bons às vezes morrem cedo, ao passo que as pessoas más e aparentemente inúteis vivem até a velhice. As doenças estão varrendo a Terra, atacando tanto as pessoas boas como as más. "Isto não é justo!", nossa alma grita. Onde está a justiça? Onde está Deus?

Alguém que está à procura de uma desculpa para não crer em Deus não precisa ir além dessas perguntas não respondidas. Essa pessoa simplesmente diz: "Se realmente existisse um Deus, Ele impediria o sofrimento; portanto, não posso crer que Ele exista". Mas também existem aqueles milhões de pessoas lindas que acreditam em Deus ainda que não tenham respostas para essas perguntas complexas.

Se você está esperando que eu lhe dê uma boa resposta para essas questões, quero lhe dizer agora mesmo que não a tenho. Não posso explicá-las de forma satisfatória e não acredito que mais alguém possa. Simplesmente escolhi crer em Deus porque, para ser sincera, sem Ele, acho que nem mesmo estaria viva. Ele é a minha vida, e eu prefiro ter um relacionamento com Deus e não entender tudo sobre Ele a tentar viver sem Ele.

Deus nunca prometeu uma vida sem sofrimento, mas Ele prometeu nos consolar e nos dar força para seguirmos em frente. Ele também prometeu fazer tudo que nos acontece cooperar para o nosso bem se o amarmos e continuarmos desejando Sua vontade em nossa vida (Romanos 8:28). Não fico feliz quando tenho problemas que me fazem sofrer, mas ficou feliz porque tenho Deus para me ajudar em meio a eles. Sinto pena daqueles que sofrem sem esperança e daqueles cujas mentes e corações estão cheios de amargura porque não podem ver além da própria dor.

Sabemos que Deus é bom, mas que o mal também existe no mundo. Deus colocou diante de nós o bem e o mal, a bênção e a maldição, e Ele nos deu a responsabilidade de escolhermos um ou outro (Deuteronômio 30:19). Temos de conviver com todos os efeitos do pecado no mundo porque muitos escolheram o pecado e o mal. Até uma pessoa boa ainda precisa viver sob o peso de estar em um mundo pecaminoso. Sentimos a pressão do mal e ansiamos pelo tempo em que ele desaparecerá. A Bíblia nos diz que até a Criação geme sob o cativeiro da decadência, e ela espera ser liberta assim como a humanidade (Romanos 8:18-23).

Servimos a um Deus invisível que é um mistério! Podemos conhecê-lo até certo ponto, mas parte dele sempre estará além da nossa compreensão.

> Ó profundidade das riquezas, da sabedoria e do conhecimento de Deus! Quão insondáveis (inescrutáveis, impenetráveis) são os Seus juízos (Suas decisões)! E quão indecifráveis (misteriosos, inaveriguáveis) os Seus caminhos (Seus métodos, Suas veredas)!
>
> Romanos 11:33

Podemos conhecer Seu caráter e colocar nossa confiança na Sua fidelidade, na garantia de que Ele estará sempre conosco, mas não podemos compreender tudo o que Deus faz ou não faz. Fé significa crer no que não podemos ver e muitas vezes no que não podemos entender. Temos fé enquanto esperamos pela revelação desses mistérios, e se somos sinceros, sabemos que talvez não tenhamos algumas dessas respostas enquanto estivermos aqui na Terra. Deus nos pede que confiemos nele, e não precisaríamos confiar se não tivéssemos algumas perguntas não respondidas. Antes de acharmos contentamento na vida precisamos nos sentir confortáveis com a ideia de "não saber".

A Intimidade é Aprofundada pelo Sofrimento

Uma das declarações mais misteriosas e desafiadoras da Bíblia está em Hebreus 5:8-9: "Embora Ele fosse Filho, Ele aprendeu... a obediência através do que sofreu e, (tendo a Sua experiência completa) o tornado perfeitamente (equipado), Ele tornou-se o Autor e a Fonte da salvação eterna para todos aqueles que... lhe obedecem". Os sofrimentos de Jesus aparentemente foram o meio do Seu aperfeiçoamento (amadurecimento), e não será de outro modo com Seus discípulos.

A fé não pode ser amadurecida sem ser testada. Deus nos dá a fé como um dom, mas essa fé só cresce e aumenta à medida que a usamos.

Os doze discípulos originais não entenderam muitas coisas ao longo de sua caminhada com Jesus, e Jesus lhes disse: "Vocês não entendem agora o que estou fazendo, porém mais tarde entenderão" (João 13:7). Vivemos em um mundo de mistério e de eventos não explicados, e Deus espera que confiemos nele.

J. Oswald Sanders disse em *Enjoying Intimacy with God* (Desfrutando a Intimidade com Deus): "Se quisermos experimentar a serenidade neste mundo turbulento, precisaremos nos agarrar com mais firmeza à soberania de Deus e confiar no Seu amor, mesmo quando não pudermos discernir Seu propósito".

Há coisas que aprendemos em meio às dificuldades e que não podemos aprender em nenhuma outra circunstância. Em Isaías 45:3, o Senhor disse: "Eu lhes darei os tesouros das trevas e as riquezas escondidas dos lugares secretos". Há tesouros que só podem ser encontrados na escuridão. Um desses tesouros é a intimidade com Deus.

O Homem e a Razão

O homem em seu estado natural quer entender tudo. Queremos ter tudo sob controle e não gostamos de surpresas. Amaríamos se todos os nossos planos acontecessem no tempo que desejamos, mas isso não acontece. Se realmente cremos em Deus, então pedimos a Ele para nos dar o que queremos, mas Ele nem sempre faz isso. Assim, acabamos tendo perguntas não respondidas, e nossa natureza luta contra isso.

Tentar entender algo para o qual nunca teremos respostas é muito frustrante e complexo. Depois de anos sofrendo mental e emocionalmente tentando entender por que coisas ruins acontecem com pessoas boas, inclusive o motivo pelo qual eu sofri abuso sexual por parte de meu pai durante dez anos, cheguei a uma encruzilhada na minha caminhada com Deus. Eu sabia que tinha de tomar a decisão de confiar totalmente em Deus mesmo sem ter todas as respostas ou eu jamais teria paz. Pessoalmente, creio que essa é uma decisão pessoal que todos nós precisamos tomar. Se você está esperando que alguém lhe explique Deus, você vai esperar para sempre. Deus está além da nossa compreensão, mas Ele é lindo e surpreendente e, no fim, Ele sempre faz justiça em nossa vida. Deus nos testa com o inexplicável!

Coisas ruins realmente acontecem com pessoas boas, mas elas podem ter o privilégio de confiar em Deus.

> Quem entre vocês teme ao Senhor? Quem obedece à voz do Seu Servo? Quem anda em trevas e não tem luz? Que ele confie no nome do Senhor e conte com o seu Deus.
>
> Isaías 50:10

Os testes que enfrentamos na vida podem durar um período mais curto quando reagimos a eles com maturidade, e sairemos deles conhecendo Deus de uma maneira mais profunda do que antes. Creio que a maioria de nós diria que boa parte do nosso crescimento espiritual foi conquistada em momentos de dificuldade, e não em momentos tranquilos.

Recorro ao Salmo 37 com muita frequência para me consolar quando estou em uma situação complicada. Nos primeiros onze versículos, é dito que não devemos nos inquietar por causa dos que praticam o mal, porque eles em breve serão ceifados. Devemos confiar no Senhor e fazer o bem, e seremos alimentados por Ele. Creio que isso significa que Deus proverá para nós o que precisarmos ao longo da vida. Não necessariamente tudo o que queremos, mas certamente Ele suprirá aquilo de que precisamos.

O Salmo 37:8 nos diz que devemos deixar a ira e abandonar o furor porque a tendência é que isso acabe mal. Se nos permitirmos ficar com raiva por causa do mal cometido por outra pessoa, poderemos acabar fazendo o mal também. Também há uma promessa maravilhosa para nós: "Mas os mansos (no final) herdarão a terra e se deleitarão na abundância de paz" (Salmos 37:11). Os mansos são aqueles que se humilham e confiam em Deus independentemente de quais sejam suas circunstâncias.

O apóstolo Paulo disse que ele havia decidido não conhecer nada a não ser Cristo, e Cristo crucificado (1 Coríntios 2:2). Parece que Paulo também ficou cansado de tentar encontrar uma boa explicação para todas as coisas e decidiu simplesmente conhecer Cristo.

Devemos confiar no Senhor com toda a nossa mente e todo o nosso coração, sem nos firmarmos no próprio entendimento (Provérbios 3:5). O livro de Provérbios nos diz também para não sermos sábios aos próprios olhos (Provérbios 3:7). Para mim, isso significa que não devo pensar por um só instante que sou esperta o bastante para governar minha vida ou encontrar os motivos pelos quais Deus faz o que faz. Se eu pudesse compreender Deus, então não haveria como Ele ser o meu Deus. Deus deve ser maior do que nós em todos os aspectos, ou Ele absolutamente não é Deus. Sabemos que Deus não tem princípio nem fim. Não podemos entender essa afirmação inicial sobre Deus, então por que entenderíamos tudo o mais?

Deus realmente revela certas coisas a nós e nos dá respostas para muitas coisas, mas Ele não responde a tudo. Conhecemos em parte de acordo com a Sua Palavra, mas virá o tempo em que conheceremos como agora somos conhecidos.

> Pois agora olhamos em um espelho que fornece apenas um reflexo turvo (embaçado) [da realidade como em uma charada ou enigma], mas então [quando a perfeição vier] veremos em realidade e face a face! Agora conheço em parte (imperfeitamente), mas então conhecerei e entenderei plenamente e claramente, da mesma maneira que tenho sido plenamente e claramente conhecido e entendido [por Deus].
>
> 1 Coríntios 13:12

Por Que Deus Não Interveio?

É difícil entender por que Deus não intervém no nosso sofrimento quando sabemos muito bem que Ele poderia facilmente fazê-lo. Quando Tiago estava na prisão, ele foi decapitado, mas quando Pedro estava na prisão, ele foi liberto por um anjo e levado a uma reunião de oração. Por quê? A única resposta é: "Vocês não sabem agora o que estou fazendo, porém mais tarde entenderão".

Talvez não sejamos capazes de lidar com o conhecimento que achamos que queremos ter. Talvez Deus retenha informações de nós pela Sua misericórdia. Decidi que vou crer que Deus nunca faz nada em minha vida, nem me pede para fazer nada, a não ser que isso vá cooperar para o meu bem no fim. Essa decisão me trouxe muita paz.

Talvez você se lembre de que eu disse anteriormente neste livro que se quisermos a paz, precisamos buscá-la e nos empenharmos de todo o coração para alcançá-la. Na minha busca pessoal pela paz, descobri que a paz e a alegria vêm quando cremos (Romanos 15:13), e foi isso que decidi fazer. Não sou perfeita, mas Deus está me ajudando a aprender a reagir às coisas que não entendo com um "confio em Ti, Senhor", e não com um "estou confusa, Senhor, e preciso entender o que está acontecendo". Todos nós podemos tomar essa mesma decisão de reagir com fé e não com dúvida e, na verdade, o Espírito Santo está incentivando você a fazer isso agora mesmo — a não ser que já o tenha feito.

Não estou falando em crer de uma maneira geral, mas em crer e confiar em Deus em todas as situações de sua vida. É muito fácil crer em Deus "*para*" coisas, mas Ele quer que creiamos nele também "*em meio*" às circunstâncias.

Jó

Se vou incluir um capítulo sobre o sofrimento inexplicável, creio que preciso falar sobre Jó. Ele foi um homem justo que suportou um sofrimento muito maior do que qualquer outro do qual eu já tenha ouvido falar. Jó agarrou-se firmemente à sua fé por muito tempo, mas, por fim, começou a pedir respostas a Deus. Deus passou quatro capítulos inteiros respondendo a Jó e, na essência, Ele disse: "Jó, se você é tão esperto, por que não tenta ser Deus por algum tempo? Governe o mundo e veja como se sai". É claro que, no fim, Jó se humilhou e entendeu que estava falando loucamente. Então Jó disse algo impressionante, que muitos de nós podem dizer depois de passar por um terrível sofrimento:

> Eu havia [apenas] ouvido falar de Ti, mas agora meus olhos [espirituais] Te veem.
>
> Jó 42:5

Em meio à provação, Jó passou a conhecer Deus de uma maneira que jamais havia conhecido antes. Antes do seu sofrimento ele conhecia *a respeito de* Deus, havia ouvido falar dele, mas agora ele o conhecia! Conheço a história de um jovem que morreu de câncer, e embora seu sofrimento tenha sido terrível, ele disse: "Eu não trocaria esta experiência por nada, porque nela passei a conhecer Deus de uma maneira íntima". Significa que Deus prepara esse tipo de sofrimento apenas para que o conheçamos? Não, não acho que seja o caso, mas Ele realmente o usa para nosso benefício espiritual.

Jesus

Se quisermos discutir sobre sofrer injustamente, precisamos falar de Jesus. Por que Deus não criou algum outro plano para a redenção do homem em vez de permitir que o próprio Filho sofresse os horrores da crucificação e a agonia de tomar todo o pecado do homem sobre si, sendo que Ele nunca pecou? Talvez, como qualquer bom pai, Ele esteja dizendo: "Não vou lhe pedir para passar por nada que Eu mesmo não tenha passado". Como disse anteriormente, não tenho as respostas para todas essas perguntas, mas será que precisamos tê-las para crer em Deus? Penso que não! A fé vai além da compreensão — na verdade, ela geralmente a substitui.

Ao iniciar este capítulo, sondei meu coração para ver o que Deus queria que eu desse como resposta àqueles que estão zangados com Ele por causa do sofrimento e da decepção que sofreram. Depois de alguns instantes, percebi que Ele não queria que eu tentasse dar uma resposta, porque não há nenhuma resposta que possamos entender. Existem inúmeros livros disponíveis que tentam explicar Deus, e alguns fazem um ótimo trabalho, mas não vou fazer isso. Estou dizendo simplesmente que você pode escolher não ficar zangado, e se fizer essa escolha, estará fazendo um favor a si mesmo porque ficar zangado com Deus é algo extremamente tolo. Ele é o único que pode nos ajudar, então, por que dar as costas para sua única fonte de ajuda?

Sei que se você foi muito machucado, parte de você pode estar gritando agora mesmo: "Joyce, isso simplesmente não é o suficiente". Se esse é o seu caso, eu entendo, e só posso orar para que em breve você esteja tão cansado de ser infeliz a ponto de dizer, como Jó: "Ainda que Ele me mate, no entanto nele confiarei" (Jó 13:15).

Furioso com Deus?

Uma mulher que conheço e a quem chamaremos de "Janine" me falou sobre um longo período no qual ela ficou zangada com Deus. Sendo cristã desde a infância, Janine sempre aguardou com ansiedade o momento em que conheceria um bom homem cristão, se apaixonaria, se casaria e formaria uma família. Depois da faculdade, ela se mudou para Nova York para seguir carreira como professora. Janine encontrou uma boa igreja e logo se tornou um membro ativo ali, envolvendo-se na vida da congregação. Ela também fez bons amigos e participava de um grande grupo de solteiros. Depois de alguns anos, muitas de suas amigas da igreja se casaram e formaram as próprias famílias.

Os anos se passaram e Janine chegou aos trinta, e ela continuava orando para que Deus lhe desse um marido e uma família. Deus abençoou sua carreira, e logo Janine se tornou diretora assistente no colégio onde lecionava. Parecia-lhe que Deus estava abençoando cada parte de sua vida, exceto aquela com a qual ela mais se importava. Suas amigas começaram a ter bebês e muitas delas se mudaram de Nova York para criar seus filhos em lugares com melhor qualidade de vida para suas famílias.

Janine continuou trabalhando duro e continuou ativa na igreja. Mas ela simplesmente não conseguia entender por que Deus não havia permitido que ela tivesse o único desejo de seu coração: um marido e uma família. Ela começou a ficar zangada com Deus. Por que Ele estava tão silencioso? Afinal, Janine queria algo que é bom e natural; Deus diz em Gênesis que não é bom que o homem esteja só. Ela começou a orar em busca de paz, raciocinando que se Deus ia dizer "não" à sua oração por um marido, então pelo menos ela queria ter uma sensação de contentamento com as coisas boas com as quais Deus a havia abençoado.

Mas os anos continuaram a se passar, e Janine continuou sozinha. Embora ela desfrutasse de muitas coisas em sua vida, a solidão que sentia se tornou cada vez mais dolorosa. Por que razão Deus não queria honrar sua oração e lhe dar algo tão natural e maravilhoso como alguém para amar? Ela simplesmente não conseguia entender por que Deus diria "não" a uma oração tão simples. A paz pela qual ela havia orado não veio também. Por que Deus estava tão silencioso?

Um dia, Janine teve uma epifania. Enquanto estava orando, pedindo a Deus alguma resposta em relação aos seus sentimentos, ela teve uma visão de Jesus no Jardim do Getsêmani, pedindo a Deus para afastar o cálice da morte enquanto Ele estava na expectativa da Sua crucificação. No final de Sua oração, Jesus disse: "Não seja feita a minha vontade, mas a Tua". Deus disse "não" a Jesus naquele dia. Era necessário Jesus passar pela tortura da cruz para salvar a humanidade.

Janine entendeu naquele instante que se Deus pôde dizer "não" ao Seu Filho e Jesus podia receber um "não" como resposta, então ela podia receber um "não" como resposta também. Nada havia mudado, mas tudo mudou para Janine. Pela primeira vez em mais de uma década, ela entendeu que não precisava conhecer todas as respostas — Deus é Deus —, e se ela tivesse de continuar solteira pelo restante de sua vida sem nunca entender por que, ela podia fazer isso.

Alguns anos depois, quando Janine tinha quarenta e cinco anos, ela conheceu um cristão maravilhoso e casou-se com ele dois anos depois. Janine me disse que se tivesse de fazer tudo de novo, ela não perderia o tempo que perdeu nem se desgastaria emocionalmente reclamando com Deus porque Ele parecia estar em silêncio. Ela passaria esse tempo desfrutando as bênçãos que tinha e fazendo o melhor para aceitar a decisão de Deus a respeito daquela questão.

Às vezes Deus diz "não" a coisas que queremos e que são boas e aceitáveis. Às vezes Ele diz "agora não". Embora nunca saibamos o porquê ainda nesta vida, podemos usar o tempo que temos usufruindo ao máximo a vida que Deus nos deu, ou podemos passá-la agonizando em meio à confusão e sendo infelizes. Qual você acha que é a melhor maneira de usar seu tempo? Prefiro usar meu tempo de uma maneira que seja produtiva — ainda que eu não conheça todas as respostas.

Uma Criança Ora e Continua a Sofrer

Como uma criança que sofreu abuso sexual, mental, emocional e verbal por parte do pai, eu orava com frequência a Deus para que Ele me tirasse daquela situação, mas Ele não fez isso. Orei para que minha mãe deixasse meu pai e para que ela me protegesse, mas ela não fez isso. Na minha visão infantil, até orei para que meu pai morresse, mas ele continuou vivendo e continuou com aquele comportamento abusivo.

Por quê? Essa pergunta se impôs de modo ameaçador dentro de mim por muitos anos. Por que Deus não resgatava uma garotinha que clamava por Ele? Mesmo depois que eu já era uma mulher adulta no ministério, eu ainda tinha aquela pergunta dentro de mim. E quem não a teria? Deus me mostrou que há vezes em que pessoas inocentes sofrem quando estão no caminho dos maus. Meu pai tinha autoridade sobre mim como pai e fez escolhas que eram más, e essas escolhas me afetaram. Mas eu sabia que ainda assim Deus poderia ter dado um fim à situação, mas Ele escolheu fazer outra coisa em vez disso. Ele me deu a coragem e a força para passar por aquilo e superar. Ele me permitiu usar a minha dor para ajudar outras pessoas e, ao fazer isso, tudo realmente cooperou para o meu bem e para o bem de muitos outros com os quais pude me identificar e aos quais pude ajudar. Durante muitos anos, eu disse: "Se eu simplesmente não tivesse sofrido abuso, minha vida poderia ter sido melhor". Agora entendo melhor as coisas; creio que minha vida tem sido mais poderosa e frutífera por causa disso. Uma das maneiras como Deus mostra Seu tremendo poder é ajudando pessoas comuns a superarem tragédias horríveis e depois se levantarem com uma atitude positiva e com a experiência para ajudarem outras pessoas. Sou grata por dizer que tive o privilégio de ser uma dessas pessoas. Tenho de dizer: "Obrigada, Senhor, por me dar a melhor resposta à minha oração, e não apenas aquela que eu queria".

Posso apenas orar para que as coisas que eu disse sobre sentir raiva de Deus sejam benéficas para alguns dos meus leitores. Não tentei dar-lhes uma resposta para perguntas impossíveis de responder, mas tentei compartilhar sinceramente o que há em meu coração a respeito do assunto. Confie em Deus independentemente do que tenha acontecido com você ou com qualquer pessoa que você conheça. Seja lá o que aconteça neste mundo, Deus é bom e Ele o ama! Se você tem sido atormentado pela pergunta: "Por que, Deus, por quê?", eu o incentivo a tomar a decisão de lançar toda a sua ansiedade sobre Ele e dizer: "Confio em Ti, Senhor, aconteça o que acontecer!"

•

CAPÍTULO

7

Socorro: Estou Irado

Se você, que está lendo este livro, é uma pessoa cheia de ira, em primeiro lugar deixe-me elogiá-la por estar disposta a estudar sobre uma área na qual precisa de ajuda. Creio firmemente que você pode vencer e vencerá essa ira pecaminosa e descontrolada. Alguns tipos de ira são pecaminosos e outros não, portanto quero abordar ambos os tipos apenas para garantir que você entenda claramente a diferença entre eles.

A Ira que Não é Pecaminosa

Deus nos deu a emoção da ira para que soubéssemos quando nós — ou outra pessoa — estamos sendo tratados injustamente. Esse tipo de ira é chamado de *ira justa*, e seu propósito é nos motivar a tomar uma atitude justa para retificar um erro.

Quando uma de minhas filhas tinha cerca de sete anos, ela começou a frequentar uma escola nova e estava tendo dificuldade em fazer amigos. Morávamos perto da escola e um dia, por acaso, passei por ali quando estava indo a algum outro lugar. Observei que minha filha estava sentada sozinha no pátio da escola e parecia estar muito solitária enquanto todas as outras crianças estavam brincando. Fiquei irada porque ela estava sendo maltratada, mas essa não era uma ira pecaminosa. Minha reação foi orar por ela, pedindo a Deus que lhe desse amigos. Se minha reação tivesse sido ir até a escola e gritar com as outras crianças, então aquele seria um sentimento de ira equivocado.

Creio que é muito importante entender que nem sempre quando sentimos ira estamos pecando. Existem muitas coisas que estimulam a emoção da ira, mas a maneira como administramos esse sentimento é o mais importante.

Existe um tipo de ira que é justa, e no Salmo 78 vemos que Deus irou-se de maneira justa contra aqueles que adoravam ídolos. Como é ridículo adorar uma pedra quando podemos adorar o Deus vivo de toda a Criação. Deus, em Sua justiça, punia esse tipo de injustiça na esperança de que isso fizesse com que o povo se arrependesse e se voltasse para Ele. Essa punição tinha a intenção de ajudar o povo, e não de prejudicá-lo. As atitudes tomadas pela ira que é justa sempre têm o intuito de ajudar.

Esse é o mesmo tipo de ira que sentimos com relação aos nossos filhos quando eles fazem coisas que sabemos que os prejudicarão. Demonstramos a nossa ira e os corrigimos para ajudá-los.

Quando visitei o Camboja e vi crianças vivendo no lixão da cidade, catando lixo tentando encontrar comida para comer e pedaços de vidro ou plástico para vender, fiquei entristecida no meu coração e senti uma ira justa como resultado da injustiça que testemunhei. Eu não apenas me irei, mas decidi fazer algo a respeito daquilo. Nosso ministério comprou ônibus e os equipou como salas de aula e um restaurante para podermos alimentar e ensinar as crianças diariamente. Os ônibus também têm chuveiros para que elas possam se lavar e receber roupas novas quando necessário. Essa foi uma reação positiva diante do sentimento de ira. A Palavra de Deus nos diz que a única maneira de vencer o mal é com o bem (Romanos 12:21).

Esse tipo de ira não é pecado. Na verdade, ela é boa porque nos leva a tomar uma atitude.

Muitas pessoas hoje se sentem iradas com a injustiça, mas não fazem nada a respeito e simplesmente ficam cada vez mais cheias de ira. Gastam o tempo delas fomentando a ira na vida de outras pessoas por meio de suas palavras e atitudes negativas, e nunca tomam qualquer atitude para mudar as coisas. Elas geralmente têm uma postura pessimista. Elas decidem que não há nada que possa ser feito para mudar a situação, de modo que nem se incomodam em tentar. Esse é um tipo de ira que se transforma facilmente em pecado.

Uma menina de treze anos foi morta por um motorista embriagado que, ao ser julgado, recebeu uma pena muito leve. A mãe dessa menina foi tomada pela ira, mas decidiu transformar a ira em algo positivo e criou uma organização chamada MADD (Mães Contra Motoristas Bêbados, em tradução livre). Essa organização tem sido um instrumento para promover a reforma legislativa em favor de leis mais rígidas contra motoristas embriagados. Ela poderia ter passado a vida com raiva e amargura; em vez disso, ela *venceu o mal com o bem.*

Eu sentia muita raiva do meu pai pelo tratamento abusivo que sofri. Eu o odiava e durante anos vivi tomada pela ira, mas finalmente entendi que a única maneira de vencer o mal que me havia sido feito era fazendo alguma coisa para ajudar os outros. Esse é um dos motivos pelos quais passei os últimos trinta e cinco anos ensinando a Palavra de Deus e ajudando pessoas que estão sofrendo.

Um homem chamado William Wilberforce foi tomado por tamanha ira ao testemunhar a escravidão na Inglaterra, que passou a maior parte da vida lutando contra ela e trabalhando em favor de uma legislação que a tornasse ilegal. A História está cheia de pessoas que ficaram iradas diante da injustiça e lutaram para trazer mudanças positivas. Infelizmente, a História também está cheia de pessoas que foram tomadas pela ira e depois pelo ressentimento e pela amargura, tornando-se, por fim, cheias de ódio. Muitas dessas pessoas tomaram atitudes que fizeram mal a milhares de seres humanos.

Todas as eras testemunharam algum tipo de injustiça, e a nossa não é diferente, mas a ira que acaba por se transformar em ódio não é a resposta. O ódio é um sentimento forte. Nunca odiamos alguém um pouco. O ódio é um sentimento que exige muito de nós. Ele exige que aquele que é odiado seja maltratado. O ódio começa como ira. Ele usa toda a sua energia para se manter vivo. Ele corrói você como uma doença degenerativa e toma conta de seus pensamentos e suas palavras. Ele torna você amargo, azedo e mau. Ele impossibilita que você seja usado por Deus.

Se você já sofreu injustiças na vida e foi ferido, não alimente esse ciclo com o ódio.

A única resposta para a ira é o perdão. Perdoar muitas vezes é um processo. Ele começa pela decisão de não apenas obedecer a Deus, mas de fazermos um favor a nós mesmos e perdoarmos;

entretanto, leva tempo para que nossas lembranças e emoções sejam curadas. A segunda metade deste livro é dedicada à importância do perdão e à maneira como devemos lidar com ele.

Sua Ira é Legítima ou Destorcida?

Antes de trabalharmos nossa ira de maneira adequada, precisamos ser sinceros o bastante para perguntar se ela é legítima ou distorcida. O fato de ficarmos com raiva do que as pessoas fazem pode resultar de algo errado em nós, e não de algo errado que elas fizeram. Só porque nos iramos isso não significa que a nossa ira é legítima. Na verdade, provavelmente um grande percentual de pessoas que se iram rapidamente o fazem devido a uma ferida em sua alma que elas nunca permitiram que fosse curada. Pessoas cheias de ira frequentemente ficam com raiva de coisas com as quais todos nós lidamos todos os dias, sem nos irarmos.

Houve um tempo em que Dave fazia coisas que me deixavam com bastante raiva, mas essas mesmas coisas não me incomodam em nada agora. Ele ainda faz algumas dessas mesmas coisas, mas eu mudei. A minha ira era resultado das minhas inseguranças.

Se uma pessoa é insegura, ela geralmente reage ficando irritada se os outros não concordam com tudo o que ela pensa, sente e diz. Ela interpreta todo desacordo como rejeição, é ela que tem, na verdade, um problema, não a pessoa com quem ela ficou zangada. As pessoas inseguras precisam de muitas respostas positivas para se sentir bem consigo mesmas, e quando não recebem isso, elas geralmente ficam cheias de ira.

Às vezes simplesmente ficamos com raiva porque não conseguimos o que queríamos, quando queríamos e da maneira que queríamos. A história que vou compartilhar com você me comove profundamente. É uma história a respeito da impaciência e da raiva que custaram muito a um homem — tudo por causa da ira.

O PRESENTE DE UM PAI — Autor Desconhecido

Um jovem estava prestes a se formar na faculdade. Durante muitos meses ele namorou um belo carro esporte em uma agência de veículos, e sabendo que seu pai podia pagar por ele sem maiores dificuldades, o rapaz disse ao pai que tudo que ele queria de presente de formatura era aquele carro. À medida que o grande dia se aproximava, o jovem aguardava por sinais de que seu pai havia comprado o carro.

Finalmente, na manhã da formatura, o pai do jovem chamou-o ao seu escritório particular. Ele disse a seu filho o quanto estava orgulhoso por ter um filho tão bom e lhe disse o quanto o amava. Ele entregou a seu filho uma linda caixa embrulhada para presente.

Curioso, mas um tanto decepcionado, o jovem abriu a caixa e encontrou uma linda Bíblia encadernada em couro com o nome do jovem gravado a ouro. Furiosamente, ele levantou a voz para o pai e disse: "Com todo o seu dinheiro, você me deu uma Bíblia?", e saiu da casa violentamente, deixando a Bíblia para trás.

Muitos anos se passaram e aquele jovem se tornou um homem de negócios bem-sucedido. Ele tinha uma linda casa e uma família maravilhosa, mas chegou à conclusão de que seu pai estava muito idoso e pensou que talvez devesse ir visitá-lo. Ele não o via desde o dia da sua formatura.

Porém, antes que pudesse programar a viagem, ele recebeu um telegrama dizendo que seu pai havia morrido e que tinha deixado em testamento todos os seus bens para o filho. Ele precisava ir para casa imediatamente e cuidar das coisas. Quando chegou à casa do pai, a tristeza e o arrependimento encheram o seu coração. Aquele homem começou a vasculhar os documentos importantes de seu pai e viu a Bíblia ainda nova, assim como ele a havia deixado há anos. Em lágrimas, ele abriu a Bíblia e começou a virar as páginas. Seu pai tinha sublinhado cuidadosamente um versículo, Mateus 7:11:

> "Se vocês, sendo maus, sabem dar boas coisas a seus filhos, quanto mais não dará o seu Pai Celestial que está nos céus, àqueles que lhe pedirem?"

Enquanto ele lia essas palavras, a chave de um carro caiu da parte de trás da Bíblia. Ela tinha uma etiqueta com o nome da revendedora, a mesma agência de automóveis que tinha o carro esporte que ele queria. Na etiqueta estava a data da sua formatura e as palavras: PAGO À VISTA.

Essa história me enche de tristeza. Ela é um exemplo poderoso da maneira como muitos de nós conduzimos nossa vida. Em vez de aceitarmos os presentes de Deus com gratidão, ainda que pensemos que eles não são exatamente o que pedimos, ficamos zangados e nos afastamos dele. Não faça isso! Lembre-se de que seu Pai o ama mais do que você pode imaginar. Ele só deseja o bem para você, ainda que o "embrulho" não seja exatamente aquele que você esperava.

Quando temos um problema que se manifesta na forma de uma ira excessiva, é vital reconhecê-lo. Precisamos aceitar que temos um problema e parar de atacar outros que, na verdade, não são o problema. Muitos relacionamentos são destruídos por causa de problemas desse tipo. Por muito tempo tentei fazer Dave pagar pelo que meu pai fizera desconfiando dele e tentando controlá-lo para que ele nunca pudesse me ferir. Na verdade, eu tinha uma postura negativa em relação a todos os homens porque um deles havia me machucado. Eu sentia que eles estavam em débito comigo e tentava cobrar essa dívida de todos os que faziam parte de minha vida. Graças a Deus eu finalmente percebi o que estava fazendo e pedi a Deus para me recompensar pelas injustiças que sofri em minha vida, e Ele o fez.

Se você está tomado pela ira, deixe-me fazer-lhe algumas perguntas. Sua ira está trazendo algum benefício para você ou a qualquer outra pessoa? Ela está resolvendo o problema? Ela está transformando a pessoa de quem você está com raiva? Sua ira está lhe dando mais alegria e paz?

Você acredita ser uma pessoa razoavelmente inteligente? Nesse caso, então por que continua desperdiçando o seu tempo? Por que não decidir fazer um favor a si mesmo e deixar tudo para trás? Entregue essa situação nas mãos de Deus em oração. Lance suas ansiedades sobre Ele e dê a Ele a oportunidade de cuidar de você. Deixe Deus lidar com as injustiças sofridas por você. Em Isaías 61 Ele promete nos dar dupla recompensa pela vergonha que sofremos no passado. Gosto desse tipo de retribuição, e você, não?

Talvez você esteja pensando: "Joyce, não consigo parar de sentir raiva". Eu entendo, mas o que você pode fazer é começar a orar pelas pessoas com quem está zangado em obediência a Deus, e isso o ajudará. A próxima coisa a fazer é iniciar um estudo intensivo da Palavra de Deus sobre o tema da ira. A Palavra de Deus tem em si mesma um poder real que o capacitará a fazer a coisa certa, e ela trará cura à sua alma. Ela é o remédio para a alma ferida. Confie na Palavra de Deus. Aproxime-se dela com expectativa e fé. Se você está com dor de cabeça e toma um remédio para dor, você faz isso com a expectativa de que ele ajudará a aliviar a dor. Aproxime-se da Palavra de Deus da mesma maneira e tome-a como remédio para suas emoções feridas.

A coisa mais importante é decidir que você não quer mais viver controlado pela ira. Se for firme em sua decisão, os problemas que você está tendo serão resolvidos. Deus o conduzirá de uma maneira específica que será exatamente a maneira certa para você. Sempre queremos uma fórmula rápida para todos os nossos problemas, mas a verdade é que temos de confiar em Deus e deixar que Ele nos conduza individualmente. A Bíblia está cheia de palavras de sabedoria que nos ajudarão a evitar a ira. Detectar a ira e resistir a ela é o melhor plano. Não permita que a ira crie raízes em sua alma e se torne um problema com o qual será difícil lidar.

Se você é uma pessoa cheia de ira, admitiu isso e está pronta para buscar ajuda, pode começar a se animar porque você não permanecerá com raiva por muito tempo. Você está a caminho de encontrar paz abundante e uma alegria que nunca experimentou antes. Você poderá amar as pessoas de uma maneira divina que acrescentará poder à sua vida.

> A resposta branda desvia o furor, mas as palavras duras suscitam a ira.
>
> Provérbios 15:1

> Quando vocês se irarem, não pequem; nunca deixem a sua ira (a sua exasperação, a sua fúria ou indignação) durar até que o sol se ponha.
> Não deem [esse] espaço ou acesso ao diabo [não deem oportunidade a ele].
>
> Efésios 4:26-27

> Entendam [isto], meus amados irmãos. Que todo homem seja rápido para ouvir [um ouvinte pronto], lento para falar, lento para se ofender e para se irar. Porque a ira do homem não promove a justiça que Deus deseja e requer.
>
> Tiago 1:19-20

CAPÍTULO

8

Socorro: Estou em um Relacionamento Com Uma Pessoa Irada

Podemos aprender a controlar a própria ira, mas não podemos controlar a ira das outras pessoas. Precisamos aprender a lidar com as pessoas iradas à nossa volta de uma maneira que nos proteja e também, assim esperamos, as ajude.

Primeiramente, vamos falar sobre a ira que se torna violenta. Não creio que Deus tenha nos chamado para sofrermos abuso por parte de pessoas cheias de ira. Minha mãe permitiu que meu pai abusasse dela e, nesse processo, ela acabou por não proteger meu irmão e eu. Meu pai era verbalmente abusivo com ela, sua linguagem muitas vezes era ameaçadora e a maneira suja como praguejava era um som comum em nossa casa. Ele ameaçava bater nela com frequência, e realmente, por vezes, ele lhe dava tapas e até a espancava. Ele costumava ser infiel, e ela ainda assim tolerava isso. Ela achava que estava sendo comprometida com seu casamento, mas eu sentia que de muitas formas ela estava desrespeitando a si mesma ao permitir que ele a tratasse daquela maneira. Entendo que ela estava com medo, mas gostaria de todo o coração e para o bem dela, assim como para o meu bem e de meu irmão, que ela pudesse tê-lo confrontado ou abandonado.

As mulheres do tempo de minha mãe raramente se divorciavam; elas simplesmente suportavam qualquer tipo de tratamento que recebessem. Na nossa época, as pessoas se divorciam o tempo todo e geralmente não fazem esforço algum para superar suas dificuldades. Esses dois extremos estão errados.

Os dados referentes a mulheres espancadas são alarmantes. De acordo com as estatísticas, nos Estados Unidos aproximadamente 5,3 milhões de mulheres com dezoito anos ou mais sofrem abuso físico, verbal ou sexual todos os anos. Todos os dias, quatro mulheres morrem em resultado de violência doméstica nos Estados Unidos. Como eu disse, não creio que devamos permitir que alguém nos trate de modo abusivo. Não é da vontade de Deus que vivamos com medo. As pessoas violentas costumam fazer ameaças; elas usam o medo para controlar os outros. Elas são pessoas covardes que abrem caminho pela vida através da truculência e precisam ser confrontadas para o próprio bem.

Lembro-me do medo que impregnava a atmosfera da minha casa quando eu era criança. Lembro-me de ficar do lado de fora, no frio, com minha mãe, esperando que meu pai desmaiasse quando ele estava embriagado para não sermos espancadas. Lembro-me dos gritos, dos berros, dos xingamentos, das ameaças, dos empurrões, dos safanões, das surras, dos sufocamentos e dos espancamentos. Lembro-me da raiva, do punho dele fechado diante do meu rosto enquanto ele ameaçava me espancar. O medo em que eu vivia ficou enraizado em minha alma, e foram necessários muitos anos trabalhando juntamente com Deus para que eu fosse liberta dele.

Se você está lendo este livro e está em uma situação na qual sofre abuso, imploro que você, para o seu bem e para o bem de seus filhos, caso os tenha, procure ajuda. Se você não sabe o que fazer, procure aconselhamento, ligue para um telefone de auxílio a mulheres que sofrem abusos físicos ou vá para um abrigo; mas não fique simplesmente esperando pela próxima vez em que aquela pessoa dominada pela ira decidirá descarregá-la em você. Pessoas que abusam de outras precisam de ajuda. Elas são pessoas doentes, que não sabem processar adequadamente a ira e as frustrações. Em muitos casos, elas também foram feridas e estão reagindo com base nas próprias feridas. Elas precisam de oração, certamente, mas ao orarmos, devemos entender que precisamos estar prontos para tomar qualquer atitude que Deus nos leve a tomar.

Chegou um momento em minha vida no qual tive de confrontar meu pai com relação aos anos em que ele havia cometido abuso contra mim. Eu tinha aproximadamente quarenta e cinco anos e ainda estava sofrendo pelo que ele havia me feito. Deus me mostrou que confrontá-lo era a única maneira de quebrar o ciclo do medo em minha vida. Foi extremamente difícil para mim fazer isso porque eu sabia que seria alvo da sua ira novamente, e fui, mas também fiz o que Deus estava me dirigindo a fazer e isso ajudou a me libertar. Precisamos fazer sempre o que Deus nos dirige a fazer, não importa como a outra parte reaja.

A maioria de vocês que está lendo este livro não lida com o tipo de pessoa dominada pela ira à qual me refiro, mas vocês precisam conviver com pessoas cheias de ira em suas vidas. Alguns de vocês, na verdade, estão em um relacionamento com uma pessoa irritadiça.

Pelo fato de um homem dominado pela ira ter ditado as regras em minha vida por tantos anos, eu mesma era dominada pela ira e a descarregava tanto em minhas palavras quanto em minhas atitudes. A minha ira se manifestava frequentemente quando as coisas não aconteciam da maneira que eu queria na vida. Como mencionei anteriormente neste livro, eu estava errada e precisava ser confrontada da maneira como Deus nos confronta. Uma das melhores coisas que Dave fez por mim foi não permitir que minha ira o tornasse infeliz. Creio que uma das melhores coisas que você pode fazer por uma pessoa que está cheia de ira é mostrar a ela por meio do exemplo que existe uma maneira melhor de viver e reagir às circunstâncias.

Seja um Exemplo

Pelo fato de nunca ter vivido em uma atmosfera de estabilidade, eu não sabia como era isso. Dave era um exemplo de estabilidade para mim, e isso foi extremamente importante. Se ele tivesse simplesmente me dito para parar de ficar zangada o tempo todo e reagisse à minha ira com ira também, não creio que teria mudado. Como dizem: "Um erro não justifica outro". De acordo com a Palavra de Deus, não devemos confrontar a ira com ira, ou o mal com o mal, ou insulto com insulto.

> Nunca paguem o mal com o mal, ou insulto com insulto (bronca, repreensão, censura), mas, ao contrário, abençoem [orando pelo bem-estar, felicidade e proteção deles, e realmente tendo compaixão deles e amando-os]. Pois saibam que para isso vocês foram chamados, para que possam vocês mesmos herdar uma bênção [de Deus — para que possam obter uma bênção como herdeiros, gerando bem-estar, felicidade e proteção].
>
> 1 Pedro 3:9

Estou ciente de que fazer isso é bem mais difícil do que ler sobre o assunto, mas quando Deus nos pede para fazer algo, Ele nos dá a força necessária para fazê-lo se estivermos dispostos a ser obedientes. Deus tem a solução, seja qual for o problema, e Seus caminhos sempre dão resultado se estivermos dispostos a cooperar.

Creio de todo o coração que o exemplo de Dave para mim foi o que me fez querer mudar. Ele era firme comigo, mas nunca deixou que eu roubasse a sua alegria. Ele me dizia que se eu quisesse ser infeliz era problema meu, mas que ele seria feliz quer eu fosse feliz ou não. Ele agiu de maneira firme e coerente por um longo período e, finalmente, percebi que eu estava perdendo muito na vida e que precisava mudar. Ninguém pode mudar até que queira fazê-lo, de modo que se você tentar mudar as pessoas ao seu redor por conta própria, isso apenas o deixará frustrado. Só Deus muda as pessoas de dentro para fora, e Ele faz isso quando queremos que Ele o faça. Portanto, ore por aqueles que estão cheios de ira, para que permitam que Deus trabalhe em suas vidas, e seja um exemplo para essas pessoas!

Você Está Permitindo que Uma Pessoa Infeliz Torne Você Infeliz?

Quando digo nas minhas conferências que não devemos permitir que a atitude de outra pessoa determine o nível da nossa alegria, as reações sempre são impressionantes. Posso ver no rosto dos participantes que eles fazem isso sem nem sequer perceber que há outra opção. Na verdade, somos facilmente controlados pelas emoções negativas de outras pessoas até que aprendemos que podemos mudar essa situação.

Marie teve a oportunidade de fazer uma viagem fabulosa no famoso trem Expresso do Oriente, de Veneza para Paris. Ela decidiu convidar sua irmã Jean para ir com ela como presente de aniversário por seus cinquenta anos — com todas as despesas pagas. Jean aceitou, e lá se foram elas na viagem de suas vidas. Depois de alguns dias em Veneza, Jean decidiu que sentia falta de seu marido e de seus filhos e começou a se sentir infeliz. Quando ela e Marie embarcaram no trem para Paris, Jean estava muito zangada. Ela só queria ir para casa!

Ela também se sentia pouco à vontade em um país onde não falava o idioma e não podia sequer pedir uma xícara de café sem fazer um esforço enorme para se fazer entender.

Não demorou muito para Jean começar a ficar zangada com sua irmã. Ela achava que Marie estava se exibindo porque podia pagar e levar sua irmã mais pobre em uma viagem sofisticada. A cada dia que passava, ela se ressentia cada vez mais contra Marie, e seu comportamento se tornou extremamente desagradável.

Marie logo percebeu que Jean estava zangada com ela. Talvez ela sentisse inveja de Marie, que havia viajado muito e se sentia confortável em situações novas. Seja qual fosse a causa, Marie decidiu que havia duas possibilidades: Jean podia ficar com raiva, ou ambas podiam ficar com raiva! Marie decidiu ser gentil com sua irmã acontecesse o que acontecesse. Ela engoliu vários sapos durante a viagem e decidiu que iria desfrutar aquelas férias que eram uma oportunidade única, ainda que Jean optasse por não fazer o mesmo.

Como Jean ficou frustrada quando Marie optou por não reagir à sua ira! Marie olha para trás e se lembra dessa viagem e é grata por ter sido capaz de saborear cada parte dela, apesar da ira de sua irmã. Embora ela desejasse que Jean tivesse se divertido mais nas férias, ela sabe que pelo menos uma pessoa se divertiu!

Corremos o risco de viver uma vida triste se permitirmos que as outras pessoas determinem o nível da nossa alegria. Algumas pessoas já decidiram que não vão ser felizes, e nada que façamos as fará mudar de ideia. Recentemente ouvi esta declaração: "Uma mãe nunca será mais feliz que o seu filho mais infeliz". Em geral, isso é verdade, mas não precisa ser assim. Precisamos entender que não ajudamos as outras pessoas quando estamos de mau humor com elas, e podemos fazer um favor a nós mesmos e continuar alegres independentemente do que os outros façam. A alegria do Senhor é a nossa força, portanto continuar alegres nos ajuda a passar por situações difíceis na vida. A tristeza nos enfraquece, mas a alegria nos fortalece.

Podemos realmente ser alegres mesmo estando cercados de pessoas infelizes e cheias de ira? Sim, podemos se estivermos decididos a fazer isso. E mais uma vez quero enfatizar que creio ser essa a melhor coisa que podemos fazer por aquele que está cheio de ira. Simplesmente mantenha uma postura agradável e tranquila quando estiver perto dessa pessoa. Garanta a ela que você a ama e deseja que ela seja feliz, mas que não vai permitir que as decisões dela intervenham em sua qualidade de vida. Não se torne codependente do comportamento de outra pessoa.

Sei como isso funciona não apenas porque a ira do meu pai controlava a todos dentro de casa, mas também porque me vi diante de outras situações como essa em minha vida. Certa vez tive um chefe que frequentemente se irava e geralmente era difícil de agradar. Eu ficava feliz quando ele estava feliz e irritada quando ele estava irritado. Esse padrão havia sido estabelecido na minha infância, e eu reagia automaticamente às pessoas cheias de ira ficando com medo e intimidada. Graças a Deus porque Ele me libertou, e Ele fará o mesmo por você se você tem uma necessidade nessa área.

Certa vez também tive uma vizinha e amiga que se irava facilmente, principalmente se eu não estivesse fazendo tudo que ela queria que eu fizesse, e eu reagia da mesma maneira que reagia ao meu pai e ao meu chefe. O diabo sempre garantirá que tenhamos um estoque de pessoas iradas em nossa vida se permitirmos que elas nos controlem, de modo que precisamos decidir com antecedência qual será a maneira como vamos reagir a elas.

Se encontramos uma pessoa que está irritada, naturalmente devemos tentar ajudá-la. Mas se ela se recusa a ser ajudada, não há motivo lógico para perdermos tempo e energia. Ficar emaranhado no comportamento disfuncional de outra pessoa nunca é sábio. Faça o que você puder fazer, mas não desperdice sua vida tentando consertar alguém que se recusa a mudar.

Pode haver momentos em que a melhor coisa a se fazer é afastar-se de alguém que está cheio de ira. É claro que isso nem sempre é possível se você está lidando com um membro de sua família, mas certamente não precisamos cultivar amizades com pessoas controladas pela ira.

Na verdade, a Bíblia nos ensina a não nos associarmos com pessoas cheias de ira:

> Não faça amizade com o homem dado à ira, e com o homem colérico não se associe.
>
> Provérbios 22:24

Não se Culpe

Seja lá o que fizer, não aceite que uma pessoa tomada pela ira coloque um peso de culpa sobre você. Pessoas disfuncionais quase sempre têm o péssimo hábito de colocar a culpa de todo o seu mau comportamento em alguém ou em alguma coisa. Culpar outra pessoa alivia a responsabilidade de mudar. Não assuma a culpa! Todos nós precisamos assumir responsabilidade pelo nosso comportamento, e mesmo que você tenha cometido erros, isso não dá à outra pessoa o direito de se comportar mal. Se você fez alguma coisa errada, peça desculpas. Mas não desperdice seus dias sendo consumido pela culpa.

O diabo usará qualquer fonte que esteja à disposição dele para fazer com que nos sintamos culpados e condenados. Ele sabe que isso nos enfraquece e nos oprime. Jesus veio para perdoar nossos pecados e para remover a culpa. Ele veio para nos fortalecer e nos levantar. Você está permitindo que o diabo roube sua alegria e sua força por meio da culpa? Se for esse o caso, que você decida hoje não culpar mais a si mesmo pelos problemas dos outros. Ainda que você tenha cometido erros ao lidar com outras pessoas, Deus pode trazer cura a todos os envolvidos se eles permitirem. O primeiro passo para a cura é perdoar e deixar o passado para trás.

Ore, Ore, Ore

Não desista simplesmente das pessoas que estão cheias de ira. Ore e continue orando para que elas vejam a verdade e comecem a andar na luz. Elas obviamente estão cativas, têm uma mágoa ou algo errado em seu passado que está gerando essa ira. Faça com que elas saibam que você está disposto a ajudá-las, mas que não está disposto a ser o saco de pancadas delas.

Fico impressionada com o poder da oração, e quanto mais vivo, mais me comprometo a usar a oração como minha primeira linha de defesa em todas as situações. Lembro-me de dizer coisas tolas como: “Fiz tudo o que eu podia fazer, não me resta nada a não ser orar”. A oração deveria ter sido minha *primeira* opção.

Você se lembra de Susanna? Ela passou por um período terrível de sofrimento, no qual foi abandonada por sua família e seus amigos. Ao longo dos últimos anos, ela aprendeu a depender Daquele que nunca nos deixa ou abandona. Ela lhe dirá que agora é uma pessoa diferente do que era antes de seus problemas começarem. Susanna aprendeu a orar por aqueles que a magoaram. A princípio suas orações eram indiferentes. Ela estava zangada com seu ex-marido, com sua irmã e com seus filhos. À medida que ela orava pedindo cura para si mesma, ela começou a também orar pedindo cura para eles. Como acontece com frequência, quando ela se colocou no lugar deles, começou a perceber que havia sido parcialmente responsável pelos estragos com os quais teve de lidar. Ela havia usado sua riqueza e poder para controlar as pessoas ao seu redor. Agora ela está trabalhando em espírito de oração para permitir que os outros "sejam eles mesmos" em vez de tentar sempre conseguir as coisas do seu jeito. Susanna está vivendo uma vida mais simples e, embora enfrente muitos desafios, ela diz que está dependendo de Deus de uma maneira nova e mais profunda. Acredite se quiser, Susanna não voltaria à sua antiga vida, mesmo se pudesse. Deus permitiu que ela passasse pelo fogo e, embora tenha passado por muita dor, ela é agora uma pessoa muito mais compassiva. Ela ainda sofre? Sim. Mas será a primeira a lhe dizer que agora ela depende de Deus e não do dinheiro e das pessoas, e que sua raiva desapareceu.

Vi mudanças impressionantes nas pessoas pelo poder da oração. Não podemos manipular os outros com nossas orações, mas por meio da oração abrimos uma porta para que Deus trabalhe diligentemente na vida delas, e Ele as corrige amorosamente à Sua maneira. Não sei explicar por que às vezes oramos e temos respostas quase que imediatamente, e outras vezes oramos por anos e continuamos a orar até hoje. Mas me comprometi em continuar orando e agradecendo a Deus porque Ele está trabalhando na vida das pessoas pelas quais oro, ainda que eu não esteja vendo resultados. Creio que quando oramos Deus opera!

> Continuem pedindo e lhes será dado; continuem buscando e vocês encontrarão; continuem batendo [com reverência] e [a porta] será aberta para vocês.
>
> Mateus 7:7

> A oração ardente (sincera, contínua) de um justo disponibiliza um tremendo poder [dinâmica em ação].
>
> Tiago 5:16

Ninguém está além do alcance de Deus, e nunca é tarde demais para uma pessoa mudar. Se uma pessoa que está sofrendo não sabe como ir a Deus em busca de ajuda ou não está disposta a isso, então ela precisa de um intercessor. Ela precisa de alguém que se coloque na brecha, entre ela e Deus, e ore. Jesus cumpre esse ministério por nós, e podemos e devemos fazer o mesmo pelas outras pessoas. Nunca pare de orar!

•

CAPÍTULO

9

Por que Perdoar?

Era a hora do jantar do dia 15 de outubro de 1979 e as coisas não poderiam parecer mais normais para a família de Brooks Douglass, um rapaz de dezesseis anos. Enquanto sua mãe preparava o jantar para a família, seu pai, um pastor da denominação batista, estava estudando para a pregação que faria no domingo seguinte na Igreja Batista de Putnam City, em Olarche, Oklahoma. A irmã mais nova de Brooks, Leslie, estava pondo a mesa. A linda menina de treze anos era Miss Teen Oklahoma. A vida era boa para essa jovem família.

Quando o cachorro começou a latir, Leslie saiu e encontrou um homem que afirmou estar procurando um vizinho de quem a família nunca havia ouvido falar. Quando o homem pediu para usar o telefone, Brooks o convidou para entrar.

Dentro de instantes, um segundo homem irrompeu pela porta brandindo uma arma de cano duplo. Os dois homens obrigaram a família a ficar no chão da sala de visitas e amarraram a todos, exceto Leslie. Eles a levaram para o outro quarto e começaram a estuprar a jovem por mais de três horas. O restante da família não podia fazer nada além de ouvir seus gritos agonizantes.

Quando os homens terminaram, foram para a cozinha e comeram o jantar que ainda estava no forno. Durante mais duas horas, eles aterrorizaram suas vítimas e discutiram o que fariam com elas em seguida. Então, atiraram em um deles e depois em outro. O pastor e a Sra. Douglass, que tinham apenas 43 e 39 anos, morreram. Os assassinos saíram com quarenta e três dólares e as alianças do casal.

Os filhos sofreram lesões graves e permaneceram no hospital, sob a proteção da polícia, por três semanas. Mas a cura emocional levaria muito mais tempo para acontecer. Para Brooks, os anos que se seguiram aos tiros foram uma queda em um precipício sem fim. Ele se matriculou na Universidade Batista de Oklahoma, mas abandonou a faculdade quase que imediatamente. O rapaz ia de um estado a outro, trabalhando em lugares estranhos e se entregando cada vez mais ao álcool e à depressão.

Mais tarde, Brooks foi para a Baylor University para se preparar para o ministério. Mas ele havia se tornado beberrão e farrista, por isso logo foi suspenso por más notas e por sua atitude desordeira. Por fim, concluiu a faculdade e foi trabalhar no ramo de imóveis. Casou-se, mas seu casamento acabou por fracassar.

Nos anos que se seguiram, Brooks lentamente reconstruiu sua vida, impelido pelo desejo de levar os assassinos de seus pais aos tribunais. Ele finalmente conquistou um diploma em Direito e concorreu a uma vaga no Senado Estadual de Oklahoma, e a conquistou.

Em fevereiro de 1995, enquanto estava em uma excursão pela penitenciária estadual de Oklahoma, Brooks ficou face a face com Glen Ake, um dos homens que havia matado seus pais. Ele perguntou ao carcereiro se podia falar com o prisioneiro, que estava no corredor da morte. Brooks tinha uma pergunta: *Por que você fez aquilo?* Os dois homens conversaram por mais de uma hora. Glen Ake estava extremamente arrependido e chorou durante a conversa. Quando se levantou para sair, Brooks disse a Glen: "Eu perdoo você". Quando disse essas palavras, Brooks revela: "De repente, senti como se houvesse veneno saindo pela sola dos meus pés. Foi uma das sensações mais fisicamente reais que já experimentei, como se alguém tivesse removido uma pinça que estava me apertando o peito. Eu me senti como se pudesse respirar novamente pela primeira vez em quinze anos".

Brooks seguiu em frente com sua vida e escreveu e produziu um filme, *Heaven's Rain* [Chuva do Céu], que conta a história da tragédia familiar e examina sua jornada passando pela ira e a devastação, até chegar ao perdão. Segundo ele, a fé que seus pais tão cuidadosamente alimentaram ajudou a guiá-lo para que finalmente encontrasse a paz.

Brooks Douglass poderia muito bem ter continuado a assistir à sua vida ser destruída por ira, dor e ressentimento, não fosse pelo seu ato de perdão.

Minha expectativa é que, se entendermos quão perigosos são a amargura, o ressentimento e a falta de perdão, sejamos motivados a fazer tudo o que pudermos para evitá-los — e isso nos ajuda a sermos rápidos em perdoar. Precisamos confrontar essas emoções devastadoras e superá-las.

O sentimento de ira é muito forte e costuma controlar nossos atos; portanto, quanto mais entendemos por que devemos perdoar, é mais provável que o façamos. Ao longo dos anos aprendi muitas excelentes razões pelas quais não devemos ficar irados e devemos ser rápidos em perdoar. Vou compartilhá-las com você.

Obediência a Deus

Uma das primeiras coisas que me motiva a perdoar é o fato de Deus nos dizer para fazer isso. Não creio que tenhamos sempre de entender por que Deus quer que façamos alguma coisa, mas devemos simplesmente confiar nele o suficiente para fazê-la. Quando vivemos dentro da vontade de Deus, nossa vida é sempre muito melhor do que seria se seguíssemos nossa própria vontade. Estou certa de que você já viu camisetas com a frase "Just Do It" [Simplesmente Faça] impressa nelas, e é assim que devemos responder à vontade de Deus.

A obediência a Deus é a melhor coisa a se buscar porque ela sempre acrescenta paz, alegria e poder à nossa vida. Se não obedecermos a Deus ficaremos com a consciência pesada, o que sempre nos enfraquece, e perdemos nossa alegria e paz. Podemos tentar ignorar o fato de que estamos desobedecendo e podemos dar desculpas para isso, mas os efeitos da desobediência ainda irão nos incomodar. Nada nos dá uma sensação tão boa quanto uma consciência limpa.

Você está furioso com alguém neste momento? Nesse caso, por que você simplesmente não obedece a Deus e perdoa essa pessoa para poder prosseguir com sua vida cheia de paz, alegria e poder? Satanás usa a falta de perdão contra as pessoas mais do que qualquer outra coisa. Ele a usa para separar e dividir, para enfraquecer e destruir, e para impedir nossa comunhão com Deus. E esses são apenas alguns dos efeitos devastadores de quando nos recusamos a perdoar.

Creio que quando você perceber o quanto a falta de perdão é prejudicial à sua vida, isso o motivará a fazer tudo o que puder para viver livre dela. Desperdicei muitos anos por causa da ira e da amargura; agora me comporto da seguinte maneira: "Já passei por isso, já agi assim, e não tenho interesse em agir dessa maneira novamente". Eu disse ontem mesmo a uma pessoa que não tenho tempo para perder ficando furiosa.

Eva Kor trabalha como corretora de imóveis em Terre Haute, Indiana. Aos setenta e seis anos de idade, ela é vigorosa e atraente. Você jamais desconfiaria que ela sofreu torturas inimagináveis nas mãos do Dr. Josef Mengele quando criança no campo de concentração de Auschwitz. Em 1995, ela voltou ao campo com uma missão, e essa missão se tornou uma notícia de grande importância em toda a Europa. Ela leu a seguinte declaração no exato lugar em que perdeu sua inocência e sua família: "Eu, Eva Mozes Kor, uma gêmea que sobreviveu como uma das crianças das experiências de Josef Mengele, em Auschwitz, há cinquenta anos, por este ato, concedo a anistia a todos os nazistas que participaram direta ou indiretamente do assassinato de minha família e de milhões de outras".

Desde então, a Sra. Kor tem viajado pelo mundo falando sobre suas experiências em Auschwitz. Sua mensagem está sempre focada no poder curador do perdão. "O perdão não é nada mais nada menos que um ato de autocura — um ato de autocapacitação. E imediatamente senti que um fardo de dor era retirado dos meus ombros — que eu não era mais uma vítima de Auschwitz, que eu não era mais uma prisioneira do meu passado trágico, que eu estava finalmente livre", diz ela. "Chamo o perdão de milagre da medicina moderna. Você não precisa ter um plano de saúde. Não há coparticipação, portanto todos podem se dar ao luxo de perdoar. Não há efeitos colaterais. E se você não gosta da maneira como se sente sem a dor do passado, você sempre pode abraçá-la novamente". Eva Kor não está desperdiçando tempo ou saúde. Obviamente, o remédio milagroso dela é a receita de Deus.

Que o Principal Seja o Principal

A obediência é o tema principal da Palavra de Deus, e precisamos deixar que ela seja o principal em nossa vida. Vamos orar sinceramente todos os dias, "seja feita a Tua vontade assim na Terra como no céu". Nossa obediência deve começar nos nossos pensamentos, porque esses pensamentos se tornarão nossos atos.

> [Na medida em que] refutamos argumentos, teorias
> e raciocínios e toda altivez e orgulho que se levanta

contra o [verdadeiro] conhecimento de Deus, levando todo pensamento e propósito cativo à obediência de Cristo (o Messias, o Ungido).

2 Coríntios 10:5

O apóstolo Paulo nos incentiva a levarmos nossos pensamentos cativos. A falta de perdão é gerada pela maneira como pensamos acerca das pessoas e das situações. Descobri que se simplesmente escolho crer no melhor a respeito de uma pessoa em determinada situação, posso evitar muitas vezes a agonia da ira e da amargura. Ou às vezes podemos escolher simplesmente não pensar na ofensa de modo algum. Uma coisa é certa, quanto mais pensamos no mal que alguém nos fez, mais cheios de ira e amargura ficamos, portanto vamos tomar a decisão de fazer com que a nossa obediência a Deus comece nos nossos pensamentos.

A versão *Amplified Bible*, em língua inglesa, diz que perdão significa "abrir mão e deixar para lá". Fazemos isso quando nos recusamos a pensar ou falar sobre o assunto. Pare de pensar e falar sobre a ofensa, e seus sentimentos feridos que estão em ebulição se acalmarão.

Eles Deixaram Para Lá

Homens e mulheres da Bíblia que demonstraram ter o poder de Deus ao longo de suas vidas eram sempre rápidos em perdoar. Tanto José quanto o apóstolo Paulo são dois excelentes exemplos disso na Bíblia. Mencionei José anteriormente, mas a história dele é tão poderosa e impressionante que vale a pena examiná-la novamente e extrair dela mais exemplos poderosos.

Embora os irmãos de José o odiassem e o tivessem tratado de forma cruel, ele foi obediente a Deus no que se refere ao perdão. Ele sabia que a vingança não era dele, mas de Deus. Ele confiou em Deus para fazer com que as coisas que ocorreram naquela situação ruim cooperassem para o bem, e foi exatamente isso que aconteceu. Embora José tivesse vivido muitas circunstâncias infelizes e injustas, ele era alvo das bênçãos de Deus. O favor de Deus repousava sobre ele, assim como repousa sobre qualquer um de nós que faz da obediência a Deus algo importante na vida. Mesmo após ter vivido muitos anos como um escravo e passar treze anos na prisão por algo que não havia cometido, ele ainda se recusava a ter uma atitude amarga. Finalmente, Deus o colocou em uma posição de autoridade e poder, e durante o tempo da fome, foi isto que ele disse a seus irmãos famintos quando eles o procuraram em busca de ajuda:

> "Agora, portanto, não tenham medo. Eu os sustentarei e suprirei, assim como os seus filhinhos." E ele os consolou [transmitindo ânimo, esperança, força] e falou ao coração deles [mansamente].
>
> Gênesis 50:21

Se pararmos para refletir a esse respeito, ficaremos impressionados com a atitude de José. Podemos todos ter a aspiração de nos comportar da mesma forma quando chegarmos à conclusão de que as pessoas são más e a vida é injusta. Por que deveríamos perdoar e ser bons com as pessoas quando elas nos trataram mal?

Porque Deus disse para fazermos isso! Não precisamos de nenhum motivo além desse.

Os irmãos de José conviveram com o medo e a agonia durante suas vidas, ao passo que José tinha paz, alegria e poder. Então eu lhe pergunto: quem foi a vítima e quem foi o vencedor? A princípio, poderia parecer que José era a vítima; afinal, seus irmãos o venderam a mercadores de escravos. Mas, na verdade, ele alcançou uma tremenda vitória quando foi capaz de passar por aquela situação terrível e sair dela um homem melhor do que era antes. Seus irmãos acabaram sendo as vítimas do próprio ódio e inveja. Quando José tomou a decisão de perdoar, ele fez um favor a si mesmo que o beneficiou pelo resto da vida.

O apóstolo Paulo passou por muitas provações enquanto tentava ajudar as pessoas pregando o Evangelho a elas. Ele esteve na prisão e depois foi julgado por crimes que não havia cometido. A Bíblia nos diz que no seu primeiro julgamento todos o abandonaram. Ninguém ficou ao lado dele, e ele deve ter se sentido terrivelmente solitário, o que poderia ter facilmente gerado amargura em seu coração. Afinal, ele estava sendo julgado por tentar ajudar exatamente as pessoas que o tinham abandonado!

> No meu primeiro julgamento, ninguém agiu em minha defesa [como meu advogado] ou tomou o meu partido, ou [mesmo] ficou comigo, mas todos me abandonaram. Que isto não lhes seja cobrado!
> Mas o Senhor ficou ao meu lado e me fortaleceu, de modo que através de mim a mensagem [do Evange-

> lho] pudesse ser plenamente proclamada e todos os gentios pudessem ouvi-la. Assim fui liberto da boca do leão.
>
> 2 Timóteo 4:16-17

Quero explorar esses dois versículos e compartilhar com você algumas ideias a respeito deles. Deus ficou ao lado de Paulo e o fortaleceu, mas isso não teria acontecido se Paulo se recusasse a perdoar e tivesse se tornado amargo. Um espírito que se recusa a perdoar nos separa de Deus. É claro que Deus nunca nos abandona, mas a luz não pode ter comunhão com as trevas, portanto bloqueamos ou impedimos o prazer de termos Sua presença em nossa vida quando nos recusamos a perdoar. Entretanto, Paulo experimentou verdadeiramente a presença de Deus em sua vida porque foi obediente. Paulo também afirmou que foi liberto da boca do leão, ou seja, de Satanás operando por meio de pessoas más que o acusaram e procuravam lhe fazer mal.

Obedecer prontamente, perdoando qualquer pessoa contra quem tenhamos alguma contenda, nos dará poder e autoridade sobre Satanás. Permita-me lembrá-lo de que Paulo disse às pessoas em um de seus ensinamentos para perdoarem a fim de impedirem que Satanás tivesse qualquer vantagem sobre elas (2 Coríntios 2:10-11). Será que Satanás tem alguma vantagem sobre você ou sobre alguém que você conhece devido à falta de perdão? Nesse caso, é possível corrigir isso de forma imediata simplesmente sendo obediente a Deus e perdoando completamente qualquer pessoa contra quem você tenha alguma questão. É hora de perguntar: "Você está guardando rancor ou o rancor está dominando você?"

Os doze discípulos que viajavam juntos tinham de perdoar uns aos outros frequentemente por ofensas reais ou imaginárias. Quando passamos muito tempo com as mesmas pessoas, elas podem nos deixar irritados e imaginamos que elas estão deliberadamente tentando nos irritar. Na verdade, elas estão apenas sendo elas mesmas — o problema é que nós simplesmente já esgotamos nossa paciência com elas. Posso imaginar o quanto deve ter sido difícil para os doze discípulos que, durante três anos, passaram a maior parte do tempo juntos. Eles tinham personalidades diferentes e tiveram de aprender a conviver, assim como nós precisamos aprender ao nos relacionarmos com as pessoas.

Pedro chegou até mesmo a perguntar para Jesus quantas vezes ele tinha de perdoar a mesma pessoa pelo mesmo motivo (Mateus 18:21). Chega a ser engraçado, se por um instante você imaginar Pedro, que talvez estivesse agindo como uma criança zangada, sendo instruída por um pai amoroso sobre como conviver com seus irmãos. Quase posso ver Pedro com o rosto vermelho de raiva, com um olhar de birra no rosto, dizendo: "Quantas vezes você espera que eu perdoe? Por que eu já estou a ponto de explodir!"

Será que um discípulo de Jesus se comportaria assim? Aqueles doze homens não eram diferentes de nós. Eles eram seres humanos comuns aprendendo a obedecer a Deus, e tinham os mesmos pensamentos e sentimentos que temos quando o assunto é fazer a vontade de Deus. Eles experimentaram rebelião, teimosia e a mesma resistência carnal que qualquer outra pessoa, e precisavam trabalhar juntamente com Jesus para vencê-las. Não se desespere se você tem dificuldade na área do perdão. Não conheço ninguém que ache isso fácil, mas podemos conseguir com a ajuda de Deus.

A Capacidade de Amar as Pessoas

Deixamos de ser capazes de amar as pessoas quando somos tomados pela ira e nos recusamos a perdoar. Escrevi dois livros inteiros sobre a importância de amar as pessoas, portanto é claro que, para mim, esse é um assunto ao qual precisamos dar muita atenção. O amor é a melhor coisa do mundo; sem ele nossa vida não tem sabor. Fica monótona, chata e sem-graça, e nos tornamos prisioneiros do egoísmo. Deus naturalmente já sabia disso antes de nós, e Ele providenciou uma saída dos horrores de uma vida assim: Jesus.

> E Ele morreu por todos, para que todos os que vivem não vivam mais para si mesmos, mas para Aquele que por eles morreu e ressuscitou em favor deles.
>
> 2 Coríntios 5:15

Para mim, esse é um belíssimo versículo da Bíblia. Jesus morreu para que pudéssemos ser livres da prisão do ego. Quando estamos cheios de rancor e falta de perdão, estamos cheios de nós mesmos. Estamos pensando no que fizeram, deixaram de fazer e no que deveriam ter feito por nós. Mas o que aconteceria se pensássemos mais sobre o que a pessoa que nos feriu está fazendo a ela mesma, desobedecendo a Deus e nos maltratando? Pensar nos outros sempre gera benefícios e nos liberta do egoísmo. Jesus morreu para que não tivéssemos de viver uma vida cheia de ira e amargura, e isso é uma boa notícia!

Pode ser algo difícil de aceitar, mas assim como sua raiz, a falta de perdão é egoísta, porque tudo se resume à maneira como nos sentimos e ao que foi feito a nós. Talvez estejamos sofrendo e tenhamos realmente sido tratados injustamente, mas voltar-se para dentro e pensar apenas em nós mesmos não nos ajuda a sermos curados da dor. Quando Deus nos diz para perdoarmos nossos inimigos prontamente e demonstrar misericórdia a eles, parece ser a coisa mais injusta do mundo. Mas, na verdade, Ele sabe que é a única maneira de superarmos a dor e desfrutarmos a boa vida que está aguardando por nós.

Descobri que não posso ser egoísta e feliz ao mesmo tempo, e escolho ser feliz, portanto tenho de esquecer de mim mesma e continuar estendendo a mão para os outros.

A Bíblia nos ensina a nos revestirmos do amor (Colossenses 3:14). Ela, na verdade, diz: "Acima de tudo com que vocês se vestirem, revistam-se do amor". Essa frase significa simplesmente que isso é algo para o qual nos preparamos e que fazemos deliberadamente. Eu o encorajo a planejar perdoar diariamente qualquer pessoa que possa magoá-lo. Não espere algo acontecer para depois ficar lutando contra seus sentimentos, disponha sua mente e mantenha-a predisposta a viver uma vida de amor.

Maggie casou-se com James quando tinha dezenove anos. Seu projeto de vida sempre foi casar-se e construir uma família. Ela nasceu para ser uma dona de casa e não via a hora de isso acontecer. Maggie recebeu muito afeto de sua família na infância, mas James não recebeu afeto algum e, infelizmente, ele não sabia como dar afeto. Maggie realmente sentia falta disso e precisava de demonstrações externas de afeto. Embora James realmente amasse Maggie, ele não lhe dava abraços e beijos a não ser que quisesse sexo. Ele não ajudava com nada dentro de casa nem fazia muitas atividades com as crianças, porque nunca viu seu pai agir dessa maneira. A mãe de James servia seu pai dando-lhe tudo na mão enquanto ele ficava sentado em uma cadeira, portanto James esperava o mesmo de Maggie.

Pelo fato de Maggie estar tão entusiasmada em ser uma boa esposa, ela fazia tudo para James e, nesse processo, reforçava as expectativas dele de receber esse tipo de tratamento. Depois de vinte e cinco anos de casamento e quatro filhos, Maggie ficou muito cansada de dar à sua família enquanto sentia que recebia muito pouco em troca. Ela raramente ouvia palavras de encorajamento ou elogio de James e, embora discutisse o assunto com ele várias vezes, ele parecia ser incapaz de mudar ou não estava disposto a isso. Ele achava que Maggie estava sendo emotiva e dizia isso a ela!

A cada ano que se passava, Maggie ficava um pouco mais zangada. Ela estava ressentida e a muralha da separação se levantou entre ela e James. Ela estava cheia de amargura, ressentimento e recusava-se a perdoar, e foi se tornando mais infeliz à medida que o tempo passava. Finalmente, Maggie chegou à conclusão de que precisava tomar uma decisão difícil: entregar James a Deus e orar por ele, ou continuar sendo infeliz. Ela também começou a perceber que não apenas havia permitido que

James se aproveitasse dela, como também havia permitido que seus filhos fizessem o mesmo. Ela fazia coisas demais por eles, pensando que estava sendo uma boa mãe. O que ela fazia, na verdade, era cultivar em seus filhos uma postura que os tornava preguiçosos e ingratos, porque eles se sentiam no direito de ter tudo o que desejassem.

Ela sabia que as coisas tinham de mudar, então, em vez de continuar se entregando a autocomiseração, decidiu começar a cuidar de si mesma como deveria. Continuou a cuidar bem de sua família, mas não fazia por eles o que eles podiam e deviam fazer por si mesmos. Sentou-se com seus filhos e explicou a eles que estava portando-se de forma pouco equilibrada e que as coisas iriam mudar. Ela lhes disse o que esperava e quais seriam as consequências se eles não fizessem a parte deles.

Maggie começou a fazer algumas coisas que apreciava. Quando James ou sua família reclamavam, ela dizia amorosa e calmamente: "É meu direito ter uma vida que eu aprecie", e ela simplesmente fazia o que sentia que Deus lhe dava permissão para fazer. Tomar essas medidas a ajudou a superar o sentimento de amargura. Ela ainda queria que James fosse mais carinhoso, mas percebeu que somente Deus poderia fazer nele a obra que precisava ser feita. James era um bom provedor, e era de muitas formas um bom marido, de modo que Maggie começou a focar nos pontos positivos dele em lugar de focar nos pontos fracos.

Quando ela queria que James fizesse alguma coisa em casa ou com as crianças, ela simplesmente pedia a ele para fazer isso em lugar de ficar com raiva porque ele não fazia aquilo sem ela pedir. As mulheres querem que os homens percebam o que precisa ser feito e se ofereçam para fazê-lo, mas a maioria dos homens declara que não consegue ler a mente das pessoas, e diz: "Se você quer que eu faça alguma coisa, por que simplesmente não me diz?"

Essas mudanças ajudaram Maggie tremendamente. Em lugar de ficar pensando o tempo todo no que James não estava fazendo por ela, ela orava por ele e tentava se lembrar de que ele não teve um bom exemplo na infância. A história dela ainda está em andamento, mas ela está muito, muito mais feliz agora, e James já lhe fez alguns elogios nos últimos meses. Parece que eles estão progredindo e isso é uma prova de que os caminhos de Deus realmente funcionam.

A Fé é Bloqueada

Maggie teve de lutar contra a falta de perdão em seu coração antes de poder orar adequadamente por James. Nossa fé não funcionará se em nosso coração nos recusamos a perdoar. Eu me pergunto quantos milhões de pessoas oram para que outros mudem, mas suas orações ficam sem resposta porque elas estão tentando orar com o coração cheio de ira.

> E, quando estiverem orando, se tiverem alguma coisa contra alguém, perdoem e esqueçam (deixem, deixem para trás), para que o seu Pai que está nos céus possa perdoá-los pelas suas [próprias] falhas e ofensas e as esqueça.
>
> Mas, se vocês não perdoarem, também o seu Pai no céu não perdoará as suas falhas e ofensas.
>
> Marcos 11:25-26

A fé funciona e começa a agir por causa do amor (Gálatas 5:6). A fé não tem energia fluindo através dela. Ela não tem poder para agir onde falta o amor. Ah, se tão somente as pessoas pudessem crer nisso e substituir suas amarguras por misericórdia e perdão... Que possamos aprender que quando as pessoas fazem o mal, na verdade, ferem mais a si mesmas do que a nós. Que essa verdade encha nosso coração de bondade e paciência para com os outros.

Eis uma breve recapitulação de alguns dos efeitos devastadores de quando nos recusamos a perdoar:

- Quando nos recusamos a perdoar, estamos desobedecendo à Palavra de Deus.
- Abrimos a porta para Satanás criar todo tipo de problema em nossa vida.
- Impedimos que o amor flua na direção de outras pessoas.
- Nossa fé é bloqueada e nossas orações impedidas.
- Ficamos infelizes e perdemos nossa alegria.
- Nossas atitudes são envenenadas e cuspimos o veneno em todos os que encontramos.

O preço que pagamos para nos mantermos atrelados aos nossos sentimentos de amargura definitivamente não vale a pena. A falta de perdão tem de fato efeitos devastadores; portanto, faça um favor a si mesmo... perdoe!

CAPÍTULO

10

Quero Perdoar, Mas Não Sei Como

É fácil dizer a uma pessoa que ela precisa perdoar aqueles que a magoaram, mas o que acontece se ela não sabe como fazê-lo? As mesmas pessoas me procuraram repetidas vezes, pedindo-me para orar para que elas conseguissem perdoar seus inimigos. Elas estavam sendo sinceras, mas não estavam tendo êxito. Observei que há um processo pelo qual creio que precisamos passar se quisermos ser vitoriosos e perdoar aqueles que nos feriram.

A oração é crucial, mas *precisamos fazer mais do que orar para perdoar*. Quando oramos, Deus sempre faz a parte dele, mas muitas vezes deixamos de fazer a nossa parte; então ficamos confusos enquanto tentamos entender o porquê de nossas orações aparentemente não terem sido respondidas. Por exemplo, uma pessoa que precisa de um emprego pode orar a Deus para que Ele lhe dê um, mas ainda assim ela precisa agir e se candidatar a uma vaga em diversas empresas para ter êxito. O mesmo princípio se aplica ao perdão.

Deseje

O primeiro passo para perdoar nossos inimigos deve ser desejar isso ardentemente. O desejo nos motiva a passar por qualquer coisa que seja necessária para atingirmos um objetivo. Uma pessoa que precisa perder vinte quilos não conseguirá a não ser que deseje muito fazê-lo. Por quê? Porque ela precisará do desejo para mantê-la seguindo em frente quando sentir fome ou tiver de dizer "não" diversas vezes aos alimentos calóricos enquanto vê os outros comerem esses alimentos. Tenho uma amiga que perdeu trinta quilos recentemente. Foi preciso aproximadamente um ano de disciplina contínua para que ela conseguisse alcançar sua meta, e até hoje ela ainda precisa se disciplinar diariamente para não voltar aos velhos hábitos. O que a motiva? Quase todos os dias ela gostaria de comer mais do que come, mas o desejo de ficar saudável e de manter o peso adequado é para ela mais forte que o desejo de comer.

Sei que não gostamos de encarar isso, mas na verdade todos nós conseguimos fazer o que queremos se o nosso desejo de fazê-lo for forte o bastante. "Não consigo" geralmente significa "não quero". Nenhum de nós gosta de assumir a responsabilidade pelas áreas problemáticas em nossa vida. Preferimos dar desculpas e culpar alguém ou alguma coisa, mas isso não nos tornará livres.

Quando as pessoas chegam à idade de se aposentar tendo economizado dinheiro suficiente ao longo dos anos para terem conforto financeiro, é porque elas tiveram um desejo forte o bastante para motivá-las a se disciplinarem. Elas tiveram de dizer "não" a algumas coisas que podiam querer para economizar para o futuro.

Desejar algo ardentemente gerará resultados em todas as áreas de nossa vida, e isso inclui ser capaz de viver livre da amargura, do ressentimento e da falta de perdão. Se você não tem esse desejo, comece pedindo a Deus para despertá-lo em você, porque ele é a base de todo sucesso.

Eu não tinha o desejo de perdoar meu pai por abusar de mim até começar a estudar a Palavra de Deus. Quando fiz isso, vi o quanto perdoar é importante e que essa era a vontade de Deus. Entendi o quanto Deus havia me perdoado e entendi que o que Ele estava me pedindo para fazer não era diferente do que Ele havia feito por mim. O poder da Palavra de Deus fez nascer em mim o desejo de ser obediente nessa área, e creio que ele fará o mesmo por você. Se você não tem desejo de perdoar seus inimigos, estude acerca do que a Palavra de Deus diz a esse respeito, e creio que seu coração será transformado. Você desejará perdoar, e quando isso acontecer, o processo poderá começar.

Decida-se

Depois de ter o desejo de perdoar, você precisa decidir-se a fazê-lo. A decisão não pode ser fundamentada nas emoções, mas deve ser o que se costuma chamar de "decisão consciente". Esse tipo de decisão não muda quando os sentimentos mudam. Ela é uma decisão firme, que torna você alguém determinado a fazer do perdão um estilo de vida. Não significa que você nunca terá dificuldades para perdoar as pessoas. Algumas pessoas talvez precisem ser perdoadas diversas vezes e em muitos casos pela mesma razão, e isso definitivamente não é algo fácil de se fazer. É algo que precisa ser feito deliberadamente sem levar em conta a maneira como nos sentimos.

Meu pai era um homem muito duro em toda a sua maneira de ser e, infelizmente, eu me tornei muito semelhante a ele. Ele era a última pessoa do mundo com quem eu queria me parecer, mas em algumas coisas eu me parecia com ele. Meus atos e meu tom de voz muitas vezes eram duros, e sei que Dave teve de me perdoar diversas vezes durante os anos em que Deus estava trabalhando em mim e amolecendo meu coração duro e partido. Minha cura levou tempo e Dave teve de ser paciente, mas felizmente ele não teve de fazer isso sozinho. Deus lhe deu graça para suportar as minhas fraquezas, e Ele lhe dará graça para lidar com as pessoas em sua vida também.

Algumas vezes tenho de lidar com pessoas em minha vida agora que se comportam da mesma forma que eu um dia me comportei, e tenho de lembrar a mim mesma que devo fazer por elas o que Dave fez por mim. Não é fácil e muitas vezes não tenho vontade de fazer isso, mas tomei a decisão consciente de obedecer a Deus e de não viver cheia de ira e amargura. O perdão é um dos mais lindos dons que Deus nos oferece, e quando estamos dispostos a dá-lo a outros, Ele acrescenta beleza, alegria e poder à nossa vida.

Deus nos instrui em Sua Palavra sobre a maneira como devemos viver, mas Ele nunca nos obrigará a fazer o que Ele diz. Ele deixa a escolha para cada um de nós. Há muitos momentos em minha vida nos quais eu realmente gostaria de obrigar as pessoas que amo a fazerem a coisa certa, mas então me lembro de que Deus dá a todos nós o livre-arbítrio e Ele anseia que escolhamos a coisa certa para podermos desfrutar a vida que Jesus morreu para que tivéssemos.

Todas as vezes que obedecemos a Deus, estamos fazendo um favor a nós mesmos porque tudo o que Ele nos diz para fazer é em nosso benefício. Lembro-me disso com frequência quando o que Ele está me pedindo para fazer é difícil. Cada um de nós deve fazer a própria escolha; ninguém pode fazer isso por nós. Eu incentivo você firmemente a tomar a decisão consciente de perdoar. Quando você tiver feito isso, estará pronto para dar o próximo passo na direção do perdão.

Dependa

O próximo passo no processo para perdoar outras pessoas é depender do Espírito Santo para ajudá-lo a fazer aquilo que você se propôs ao tomar uma decisão consciente. Apenas decidir não basta. É crucial, mas ainda não é o bastante, porque apenas ter força de vontade não funcionará. Precisamos da força divina do Espírito de Deus que vive em nós e está sempre disponível para nos ajudar a fazer a vontade de Deus.

No Reino de Deus, ser independente não é uma boa qualidade, e também não é algo que funcione. Encorajamos nossos filhos a crescerem e se tornarem independentes, mas quanto mais crescemos em Deus, ou quanto mais nos tornamos maduros espiritualmente, mas dependentes devemos nos tornar dele. Se perdermos isso de vista na nossa caminhada com Deus, ficaremos sempre frustrados. Deus não abençoa o que a Bíblia chama de "obras da carne", que é a tentativa do homem de agir por conta própria, sem Deus. Mesmo que estejamos nos esforçando muito para fazer a vontade de Deus, ainda precisamos depender dele para sermos bem-sucedidos. A Bíblia nos encoraja a reconhecer Deus em todos os nossos caminhos (Provérbios 3:6). Isso significa que devemos convidá-lo a participar de todas as nossas atividades e dizer a Ele que sabemos que não teremos êxito sem Sua ajuda.

Considerando que nós, humanos, tendemos a ser muito independentes e realmente gostamos de fazer as coisas à nossa maneira, essa atitude de dependência nem sempre é fácil.

A Bíblia diz em Zacarias 4:6 que vencemos as nossas batalhas não pela nossa força, não pelo nosso poder, mas pelo Espírito de Deus. Deus nos dá graça, que é o Seu poder para fazer o que precisa ser feito.

> Eu sou a Videira; vocês são os ramos. Quem vive em Mim, e Eu nele, esse dá muito fruto (abundante). Entretanto, sem Mim [cortados da união vital comigo], vocês não podem fazer nada.
>
> João 15:5

Creio que João 15:5 é um versículo fundamental na Bíblia. Muitas outras coisas dependem de entendermos esse único versículo, segundo o qual ainda que Deus me chame para fazer alguma coisa ou me ordene fazer alguma coisa, ainda não posso fazê-la a não ser que eu dependa dele. Ele quer que possamos dar bons frutos, que façamos coisas boas, mas não poderemos fazer essas coisas se não dependermos completa e totalmente dele. Perdoar rapidamente aqueles que nos ofendem é um bom fruto e agrada a Deus, mas não podemos fazer isso a não ser que peçamos a Ele que nos ajude e fortaleça.

Você está frustrado porque está tentando fazer coisas que simplesmente não estão dando certo, mas você realmente acredita que elas são coisas que procedem de Deus e que devem ser feitas por você? Talvez seu problema seja uma postura autossuficiente e independente. Por que gostamos de fazer as coisas nós mesmos sem a ajuda de ninguém? Simplesmente porque gostamos de receber o crédito e de nos sentir orgulhosos das nossas realizações, mas Deus quer que louvemos a Ele por todas as nossas vitórias e que agradeçamos a Ele por ter nos permitido ser meramente vasos que Ele usou.

Podemos querer fazer a coisa certa e ainda assim falharmos uma vez após a outra. A Bíblia diz que nosso espírito está disposto, mas nossa carne é fraca (Mateus 26:41). É importante aprendermos esse princípio porque ele nos ajudará a ir a Deus em oração e pedir Sua ajuda no início de cada projeto. Também nos ajudará a não desperdiçar nossos esforços e a evitar a frustração do fracasso. Em nosso escritório, gravamos literalmente milhares de programas de televisão, mas nunca começamos um só deles sem nos reunirmos e pedirmos a ajuda de Deus. Levei anos para aprender que as obras da carne não funcionam; a única coisa que funciona é a dependência de Deus.

Lembro-me bem de ir à igreja e de ouvir uma pregação poderosa sobre determinado assunto e sentir convicção em meu espírito de que precisava mudar. Então eu ia para casa, tentava mudar e sempre acabava fracassando. Não consegui compreender o porquê disso até finalmente entender que eu estava deixando Deus de fora do meu plano. Eu presumia que por estar tentando fazer o que era a Sua vontade, eu teria êxito. Mas tive de aprender que não temos êxito em nada se não dependemos de Deus para as coisas darem certo, e se não damos a Ele a glória quando isso acontecer.

Creio que muitos que realmente amam a Deus tentam ser "bons cristãos" e sentem-se frustrados na maior parte do tempo porque não entendem essa verdade. Desperdicei anos "tentando" ser boa, mas falhando em depender totalmente de Deus para me capacitar a fazer isso. A Bíblia está cheia de versículos sobre a importância de dependermos de Deus e de exemplos tanto de pessoas que fracassaram porque não fizeram isso, quanto de pessoas que tiveram êxito porque o fizeram.

Isaías disse ao povo para parar de colocar sua confiança no homem de existência fraca, frágil e passageira, cujo sopro de vida está em suas narinas por um tempo tão curto (Isaías 2:22). O desejo de Deus era que o povo dependesse dele para que Ele pudesse lhes dar vitória. O que Deus queria mostrar por intermédio do profeta Isaías era simplesmente isto: por que confiar no homem, que é cheio de fraquezas, quando você pode confiar em Deus?

O profeta Jeremias tinha uma mensagem semelhante para o povo a quem ele ministrou. Ele dizia que somos amaldiçoados quando colocamos nossa confiança no homem frágil e nos afastamos de Deus. Mas somos muito abençoados quando cremos em Deus, dependemos dele e confiamos nele (Jeremias 17:5,7).

O apóstolo Paulo escreveu aos gálatas perguntando se eles achavam que após terem iniciado sua vida espiritual por meio do Espírito Santo, eles agora podiam atingir a perfeição pela dependência na carne (Gálatas 3:3). A resposta óbvia é não, não podiam. Paulo sabia que eles falhariam até mesmo em alcançar a maturidade espiritual se não continuassem a depender do Espírito Santo, e nós também falharemos em tudo o que tentarmos fazer — inclusive em perdoar nossos inimigos — se não dependermos de Deus para nos dar a força necessária.

Então, vemos que os três primeiros passos para avançar no processo do perdão são: desejar, decidir e depender. Quando você tiver feito essas três coisas, poderá passar para o próximo passo.

Ore Pelos Seus Inimigos

Deus nos diz para não apenas orarmos pelos nossos inimigos, mas para abençoá-los e não amaldiçoá-los. Uau! Parece algo bastante injusto, não acha? Quem iria querer orar para que seus inimigos fossem abençoados? Provavelmente nenhum de nós, se estivéssemos agindo de acordo com nossos sentimentos e não de acordo com a Palavra de Deus.

> Eu, porém, lhes digo: amem seus inimigos, e orem por aqueles que perseguem vocês para mostrar que vocês são filhos do seu Pai que está no céu; porque Ele faz o Seu sol se levantar sobre maus e bons, e faz a chuva descer sobre justos e injustos [do mesmo modo].
>
> Mateus 5:44-45

Isso não significa que devemos nos tornar um "capacho" para que as pessoas pisem em cima de nós e que nunca devemos confrontá-las quanto ao seu mau comportamento. Na verdade, perdoar nossos inimigos tem a ver com a atitude do nosso coração para com eles e com a maneira como os tratamos. Jesus nunca maltratou ninguém só porque havia sido maltratado. Ele os confrontava com um espírito de mansidão e depois continuava a orar por eles e a amá-los.

Não devemos pagar mal por mal ou insulto por insulto (1 Pedro 3:9). *Uau, que mensagem direta!* Em vez disso, devemos orar pelo bem-estar deles, por sua felicidade e proteção, e verdadeiramente nos compadecer deles e amá-los. Creio que isso novamente nos mostra que devemos estar mais preocupados com o que nossos inimigos estão fazendo contra si mesmos com seus atos malignos do que com o que estão fazendo contra nós. Ninguém pode nos fazer mal verdadeiramente se obedecermos a Deus e colocarmos nossa confiança nele. Eles podem ferir nossos sentimentos, mas Deus está sempre pronto a nos curar.

Ore para que as pessoas recebam revelação de Deus sobre o comportamento delas porque talvez elas estejam vivendo em engano, sem nem mesmo estarem totalmente conscientes do que estão fazendo. Abençoe seus inimigos falando bem deles. Encubra os pecados cometidos por eles, não os repita nem faça fofoca sobre eles.

Creio que quando fracassamos em orar pelos nossos inimigos, isso é um fator determinante para falharmos no processo do perdão. No início, podemos ter a intenção de perdoar, mas se pularmos esse passo vital que Deus nos ordenou a dar, não teremos êxito. Assim como a maioria de vocês, fui terrivelmente magoada por pessoas que eu pensava serem minhas amigas e admito que muitas vezes orei para que elas fossem abençoadas sem qualquer vontade de fazê-lo, mas creio que essa é a coisa certa a fazer. Todo aquele que perdoa tem poder com Deus, e está representando-o bem.

Você quer começar a orar pelos seus inimigos hoje? Quer praticar esse princípio até que ele se torne sua primeira reação, a reação automática à ofensa? Nesse caso, você colocará um sorriso no rosto de Deus e também no seu próprio rosto. Todas as vezes que obedecemos a Deus, estamos fazendo um favor a nós mesmos!

O último passo no processo do perdão é entender como suas emoções reagem a essa coisa toda de perdoar os outros. Resumindo, elas ficam fora de controle. As emoções definitivamente têm vontade própria, e se não forem controladas, elas controlarão a si mesmas. Escrevi um livro intitulado *Vivendo Além dos Seus Sentimentos*, e recomendo que você o leia para compreender como suas emoções funcionam.

Nossas emoções nunca deixarão de nos afetar completamente, mas precisamos aprender a administrá-las. Precisamos aprender a fazer o que é certo mesmo quando não sentimos vontade. Aprendi por experiência própria que mesmo se estiver zangada com Dave, ainda posso falar com ele e tratá-lo bem enquanto estou trabalhando com Deus para perdoá-lo. Essa foi uma grande descoberta para mim, porque desperdicei muitos anos ficando zangada por dias e excluindo-o da minha vida até que meus *sentimentos* não estivessem mais feridos. Eu nunca sabia quanto tempo isso levaria. Às vezes era rápido, se Dave me pedisse desculpas depressa. Mas quando ele não pedia desculpas porque não achava necessário ou sequer percebia que havia feito alguma coisa errada, levava dias e às vezes semanas. Finalmente, depois de receber meu pedido de desculpas eu me sentia melhor, eu o tratava melhor. Isso colocava meus sentimentos no controle e não eu, e essa não é a vontade de Deus para nós.

Uma coisa é ficar zangado quando um cônjuge comete uma pequena ofensa e isso nos deixa aborrecidos, mas e quanto às grandes ofensas? Existem coisas simplesmente grandes demais para serem perdoadas? Deixe-me contar duas histórias e você mesmo decidirá. Leia-as e pense em como você teria reagido nessas situações.

Há vários anos, nossa diretora de mídia no Ministério Joyce Meyer, Ginger Stache, passou por um momento muito difícil em seu casamento. Ela e seu marido Tim concordaram em contar sua história neste livro porque eles realmente querem ajudar aqueles que foram feridos. O coração de Ginger se compadece em especial por mulheres que foram profundamente feridas no casamento. Eis a história dela em suas próprias palavras:

Namorávamos desde o colégio, estávamos casados há quinze anos e tínhamos duas lindas filhas. Ele era meu melhor amigo e a vida era boa. Assim, quando descobri que meu marido era viciado em pornografia, minhas ilusões acerca de quem ele era e acerca do nosso casamento desmoronaram.

Não éramos o casal feliz e amoroso que eu pensava que fôssemos. Éramos muito ativos na igreja e eu estava trabalhando no ministério, mas será que tudo aquilo era apenas uma fachada? Eu estava arrasada e sentia-me traída.

As emoções que eu senti foram intensas, passando rapidamente do choque para o desgosto e a tristeza. Como o homem com quem eu compartilhava minha vida, a pessoa que eu achava que mais conhecia no mundo poderia fazer isso? Como eu pude ter sido tão enganada? O que mais era mentira? Em meio a essa torrente de emoções, a ira foi a que criou raízes mais profundas.

Eu estava furiosa com ele por trazer aquela coisa nojenta para nossa casa e para nosso casamento. Embora alguns possam discordar do fato de ele ter sido infiel, para mim não havia dúvida alguma. Enquanto eu pensava que o coração e as paixões dele me pertenciam, eles estavam, na verdade, em outro lugar; ele estava focado em imagens de outras mulheres, fantasias de uma perfeição colorida que não existia realmente. Como eu poderia competir com isso? Como poderia perdoá-lo? Por que deveria tentar?

Ele também estava destruído. Aquele comportamento obscuro que ele havia mantido escondido por tanto tempo agora estava exposto. Ele se sentia envergonhado, assustado e de certa forma aliviado. Ele prometeu fazer o que fosse necessário para conseguir ajuda, mas eu não me importava com o que ele dizia. Como eu poderia confiar nele novamente? Eu era forte e definitivamente não era o tipo de pessoa que pudesse ser enganada duas vezes. Descobri que o lugar mais seguro para permanecer era agarrada à ira que sentia, recusando-me a perdoá-lo; assim estaria protegida e não seria ferida novamente.

Minha ira era justificável. Há duas maneiras de se ver a pornografia — alguns a veem como inofensiva, algo que não faz vítimas e que não precisa nos preocupar, enquanto outros a veem como algo desprezível demais para ser encarado, um problema que só ataca os pervertidos e é abominável demais para ser mencionado por cristãos.

Quando essa coisa horrível atingiu minha vida, eu soube que essas duas visões estavam erradas. Eu era uma vítima e comecei a descobrir que muitas outras pessoas que eu conhecia também eram. Muitos desses cristãos que pensavam que nunca lidariam com questões tão abomináveis estavam sofrendo em silêncio. Eu não ia olhar para o outro lado, e certamente não ia ficar quieta.

Eu tinha decisões a tomar. Nosso casamento sobreviveria a isso? Era isso que eu queria? Como nossas filhas seriam afetadas? Elas eram minha maior preocupação.

Percebendo isso ou não, você não pode isolar a ira que sente em relação a uma pessoa sem que ela escorra e envenene toda a sua vida. Eu não podia permitir que minha dor afetasse minha capacidade de ser uma boa mãe para minhas filhas ou o chamado de Deus sobre a minha vida.

Cristo sempre havia sido meu lugar de refúgio e, na minha fúria, eu precisava ser capaz de permanecer em silêncio tempo suficiente para que Ele fosse *agora* o meu refúgio. Busquei-o na minha dor, e Sua direção foi clara. O que Ele estava pedindo de mim era mais importante que minha ira ou meu orgulho. Era a única resposta. Ele estava me pedindo para perdoar.

Eu sabia que não tinha essa capacidade em mim, mas perdoar Tim era a semente que eu precisava plantar para que a cura crescesse. Era uma decisão, não um sentimento, e Deus prometeu andar comigo ao longo desse processo. Deus não estava me pedindo para confiar em meu marido; Ele estava me pedindo para confiar nele. Como eu poderia recusar algo ao meu Senhor, que havia me perdoado tanto?

Foi uma escolha diária e muito difícil, mas Deus é fiel, mesmo quando não somos. Ele nos conduziu a um conselheiro cristão e a um grupo de apoio nessa área, e a semente do perdão que plantei cresceu lentamente, tornando-se a cura que floresceu ao longo do tempo.

Agora, mais de dez anos depois, somos um casal que começou a namorar no colégio, estamos juntos há mais de vinte e cinco anos e temos duas lindas filhas que amam a Deus. Ele é meu melhor amigo, e a vida é boa. Nosso amor está longe de ser perfeito, mas está mais forte do que nunca. Nós nos esforçamos muito para nos comunicarmos, para confiar em Deus e para perdoar diariamente.

Jonas Beiler cresceu como a maioria das crianças que nasceu em uma comunidade religiosa Amish: amando a Deus e a família, tendo uma boa ética de trabalho e uma incrível percepção do poder do perdão, considerada por muitos hoje como a marca registrada da comunidade Amish.

Jonas deixou a comunidade Amish para ir atrás do seu sonho de ter uma oficina mecânica. Sempre que falam sobre Jonas, esta frase é mencionada: "Eu gostava mais dos motores a cavalo do que de cavalos". Ele também é casado com uma mulher adorável, Anne. Talvez você conheça melhor Anne hoje em dia como a "Tia Anne", a mundialmente famosa magnata dos pretzels.

O casal vivia uma vida simples na fazenda da família de Anne, e eram mais felizes do que nunca. Jonas era mecânico e Anne estava ocupada criando suas duas filhas, Lawonna e Angie. Como membros fundadores de uma igreja próspera, a maior parte do tempo livre do casal era passada trabalhando lado a lado com o pastor, que também era o melhor amigo de Jonas. O pastor confiava muito nos Beilers e no papel desempenhado por eles como pastores de jovens. Mas o contentamento que eles sentiam durante aqueles dias estava prestes a desaparecer em trevas tão profundas e terríveis que, como Anne e Jonas admitiram, elas quase ceifaram suas vidas.

Anne e Jonas estavam se afastando um do outro enquanto ambos sofriam em silêncio a dor de um acidente trágico: a perda de sua filha de um ano e sete meses, Angie. Anne havia chegado a um ponto de total desespero. Um domingo, o pastor orou por Anne e pela depressão que ela sentia por causa de Angie. Depois da oração, ele sugeriu que ela ligasse para ele quando precisasse. Anne contou a Jonas o que havia acontecido, e o marido rapidamente concordou que seria uma boa ideia ela se encontrar com o pastor. Afinal, Jonas sabia que não podia ajudá-la, mas talvez o amigo deles pudesse.

Desde o início, Anne percebeu que havia algo de errado em seus encontros com o pastor. Ela relata um desses encontros em seu livro *Twist of Faith* (Virada de Fé), do seguinte modo: "Eu não conseguia acreditar no quanto me sentia bem ao falar sobre Angie, sobre a maneira como ela morreu, sobre como me sentia... Quando chegou a hora de ir embora... o pastor me deu outro longo abraço, mas desta vez quando olhei para cima... ele me beijou... Finalmente, ele se afastou e disse: 'Está óbvio para mim, Anne, que você tem necessidades em sua vida que não podem ser supridas por Jonas. Mas eu posso supri-las'. Enquanto eu corria para dentro do meu carro, só uma coisa parecia certa na minha mente: *Eu jamais poderia contar a Jonas... Ele nunca acreditaria em mim*".

Guardar esse segredo seria um grave erro. Sem ninguém a não ser o pastor para aconselhá-la, Anne era uma presa fácil para a manipulação dele. Ao longo do caso de seis anos, Jonas nunca questionou uma única vez a lealdade de seu melhor amigo ou o fato de ele ter tomado a esposa dele como sua.

Quando Anne finalmente se libertou do relacionamento, ela sabia que teria de contar a Jonas o que havia acontecido. Jonas diz: "Fiquei olhando para a parede depois que ela saiu... Minha mente estava entrando em lugares escuros... minha oração foi: 'Oh, Deus, não me deixe ver o raiar de um novo dia'".

No dia seguinte, Jonas telefonou para um conselheiro que havia pregado em sua igreja e lhe contou o que havia acontecido. Aquele telefonema o colocaria em um caminho de perdão que não apenas o curaria, mas também a toda a família. O conselheiro disse a Jonas algo que mudou sua vida para sempre. Ele lhe disse: "A única chance que você tem de salvar seu casamento é amar sua esposa como Cristo ama você".

Para algumas pessoas, essas palavras talvez não fossem suficientes para acalmar a ira gerada pela traição. Mas para Jonas sim. Ele atribui sua capacidade de iniciar o processo do perdão a isto:

> De algum modo, por causa da minha profunda fé e da grande tradição de fé onde fui criado, cheguei ao mais fundo da minha alma como nunca antes e encontrei Deus me dando a paz necessária para fazer coisas que nunca pensei serem possíveis... Minha única esperança era descobrir como Cristo me amava para que eu pudesse amar minha esposa da mesma maneira.

Deus levou Jonas a compreender Seu amor verdadeiramente. Em troca, Jonas pôde demonstrar esse amor a Anne, perdoando-a com o perdão que Cristo morreu para dar a todos nós. Entretanto, como Jonas relata, a restauração do casamento deles não aconteceu da noite para o dia. Ele diz:

> Em algum lugar dentro de toda a dor, confusão e desânimo, assumi um compromisso... não importa como eu me sentisse, faria o meu melhor para continuar... Hoje parece uma história fantástica porque ela tem um final feliz. Mas as inseguranças ainda surgem de tempos em tempos. Recuperar-se de alguma coisa não significa que você terá um casamento livre de sofrimentos. Mas a restauração é possível. Sempre que tenho a chance de apresentar minha esposa, gosto de apresentá-la como... minha melhor amiga, minha esposa, a mãe de todos os meus filhos e a avó de todos os meus netos. Era o meu sonho, quando passamos por aqueles dias sombrios, poder dizer isso.
> Meu sonho se realizou por causa do amor de Cristo.

As pessoas que viveram essas histórias enfrentaram situações devastadoras que deflagraram tristezas e mágoas compreensíveis. Elas poderiam ter desistido e abandonado seu casamento, mas, felizmente, pela graça e misericórdia de Deus, elas estavam dispostas a perdoar e foram capazes de fazer isso. Sim, é impressionante, mas nós realmente servimos a um Deus surpreendente! Podemos agradecer a Deus porque Ele nos deu as ferramentas necessárias para vencermos reações emocionais compreensíveis que temos diante do tipo de dor sobre o qual acabamos de ler. Verdadeiramente, tudo é possível para Deus.

Se formos controlados pelas nossas emoções, Satanás terá controle sobre nós. Tudo que ele precisa é fazer com que nos sintamos mal, e nos comportaremos de acordo com essa sensação. Não há como isso dar certo. Precisamos aprender a viver uma vida que vai completamente além dos nossos sentimentos. Podemos perdoar aqueles que nos feriram se estivermos dispostos. Podemos orar pelos nossos inimigos quer sintamos vontade ou não. Podemos falar com as pessoas ou nos recusar a falar de forma grosseira sobre elas. Podemos fazer a vontade de Deus independentemente de como nos sintamos.

Nossas emoções fazem parte da nossa alma; elas podem ser boas e gerar bons sentimentos, mas também podem fazer exatamente o contrário. Elas podem servir a Deus ou a Satanás, por isso precisamos escolher qual dos dois será. Quando alguém fere meus sentimentos e permito que esses sentimentos feridos controlem meu comportamento, estou dando vantagem a Satanás. Mas se faço o que Deus ordena independentemente de como me sinto, estou exercendo autoridade não apenas sobre meus sentimentos como também sobre o diabo. Descobri que perdoar prontamente e orar pelas pessoas que me feriram faz com que eu me sinta satisfeita e capacitada por Deus. Sei que é a coisa certa a fazer não importa como eu me sinta, e fazer o que é certo sempre nos dá satisfação espiritual em nosso interior.

Seus sentimentos não são quem você verdadeiramente é. A grande responsável pelas suas decisões é a sua própria vontade, fortalecida pela vontade de Deus. Mesmo quando nossas emoções saem de controle, podemos permanecer estáveis. Se decidirmos fazer a coisa certa independentemente de como nos sentimos, nossos sentimentos finalmente acompanharão nossa decisão. Em outras palavras, não podemos esperar que nos sintamos bem para fazer o que é certo — fazemos primeiro o que é certo e os sentimentos vêm depois. Eles ainda podem oscilar, mas melhoramos emocionalmente quando persistimos em ser obedientes à vontade de Deus. Enquanto está fazendo o que Deus lhe pediu para fazer, você pode confiar nele para curar os seus sentimentos feridos.

Um bom plano é não consultar seus sentimentos ao tomar uma decisão. Seja guiado pelo Espírito de Deus e pela Sua sabedoria e não meramente pela maneira como você se sente.

Não podemos controlar o que as outras pessoas fazem e a maneira como elas decidem nos tratar, mas podemos controlar nossa reação a elas. Não permita que o comportamento de outras pessoas controle você. Não permita que elas roubem sua alegria; lembre-se de que sua ira não vai mudá-las, mas a oração, sim.

Como Orar Pelos Seus Inimigos

Não podemos negar que é difícil até mesmo pensar em orar por alguém que feriu você, quer seja um amigo, um estranho ou um ente querido. Mas não é impossível. Não apenas isso, posso garantir a você que, como a maioria das coisas, vai ficando mais fácil com a prática.

Therese era uma trabalhadora esforçada que durante décadas se dedicou à área financeira. Quando tinha quarenta e poucos anos, foi contratada pela maior empresa do segmento para um cargo de alto nível que oferecia um salário incrível e ótimos benefícios. Ela trabalhava em outra empresa há vinte anos e era muito respeitada por seus funcionários e colegas. Mesmo em uma economia instável, Therese tinha muita certeza de que seu atual emprego era extremamente seguro. Será que ela realmente queria arriscar-se a assumir um novo emprego onde seria a "carne nova"?

O CEO da empresa que estava lhe oferecendo o novo emprego, Steve, era um homem com quem ela já havia trabalhado por muitos anos. Ela sabia que ele era um bom chefe e um homem justo. Ele lhe garantiu que se certificaria de que ela sempre fosse tratada de forma justa. Depois de muita oração e análise, Therese e seu marido decidiram que ela devia aceitar a oferta.

O novo emprego era maravilhoso. Suas responsabilidades se encaixavam bem nos seus talentos, e ela prosperou na nova empresa. Havia uma colega que não era muito gentil com ela, mas aquela mulher, Jackie, não era gentil com ninguém. Seu arquivo pessoal era cheio de reclamações feitas por colegas e subordinados a quem ela havia tratado mal e todos sabiam que ela era um problema, inclusive o chefe. Therese fazia o melhor possível para conviver com Jackie e não se preocupar com isso.

À medida que o tempo passou, o comportamento de Jackie com relação a Therese se tornou cada vez pior e mais insolente, e Therese começou a suspeitar que Jackie não a queria na empresa. Um dia, em uma reunião de negócios, Jackie humilhou Therese diante de uma sala cheia de diretores e mentiu sobre uma conta grande que havia sido perdida, culpando Therese por todo aquele desastre.

Dois dias depois, o chefe de Therese chamou-a em seu escritório e a despediu. Jackie havia contado a ele a mesma mentira, e ele havia acreditado sem nem sequer permitir que Therese se defendesse. Therese não sabia com quem estava mais zangada, se com Jackie ou com Steve. Aos cinquenta e um anos, Therese estava desempregada, e o mercado não estava contratando.

Therese foi para casa arrasada naquela noite. Quando chegou a hora de dormir, seu marido orou em voz alta e depois esperou que ela fizesse o mesmo, uma prática que eles repetiam todas as noites. Enquanto orava, Therese soube que devia orar por Jackie e Steve. Ela também soube que naquele momento os odiava. Até onde ela sabia, ambos a haviam traído. Agora ela estava desempregada e a vida deles prosseguia como de costume, e ela devia orar por *eles*?

"Senhor", ela orou, "sei que devo orar pelos meus inimigos. Esses seriam Jackie e Steve, que colocaram nosso futuro em risco sem motivo algum. Estou muito irada com eles e confesso a Ti que não quero orar por eles. Mas tenho de fazer isso. Por favor, convence-os do que eles fizeram comigo. Em nome de Jesus, Amém".

Therese me disse que levou alguns meses, mas todas as noites ela orava por Jackie e Steve, e suas orações começaram a mudar. Não demorou muito, e ela começou a orar por cura para a asma de Jackie, que era muito grave. Então ela se viu orando para que a atitude de Jackie para com seus colegas e funcionários se tornasse mais branda; para que ela fosse mais gentil. Therese orou para que Steve encontrasse um bom substituto para ela e para que as pessoas que haviam trabalhado para ela gostassem do novo chefe. Ela orou por alguns dos problemas pessoais dele que eram de conhecimento comum.

Pouco a pouco, os sentimentos de Therese com relação a Jackie e Steve começaram a mudar. Ela me disse que embora a mágoa que sofreu na mão deles ainda permanecesse, ela doía menos à medida que o tempo passava, e ela se viu orando para que Deus os abençoasse — e realmente desejando isso! Quando Jackie foi demitida alguns anos depois, Therese realmente lamentou muito e procurou por ela. Ninguém ficou mais surpreso com a bondade de Therese do que a própria Therese. Contudo, Deus havia trabalhado nela de forma lenta, mas firme.

E então, como orar pelos seus inimigos? Simplesmente ore. Você não vai sentir vontade no início, mas, assim como Therese, experimentará cura em sua própria alma se obedecer a Deus em vez de obedecer aos seus sentimentos.

CAPÍTULO

11

Encontre a Falta de Perdão Encoberta

Lembro-me de ir à igreja em uma noite de terça-feira, há cerca de vinte e cinco anos, e ouvir o pastor anunciar que ensinaria sobre nossa necessidade de perdoar aqueles que nos haviam ofendido. Pensei orgulhosamente: "Não há ninguém que eu precise perdoar". Sentei-me para ouvir uma pregação que tinha certeza de que não se aplicava a mim. Mas, à medida que a noite passava, percebi que havia falta de perdão em meu coração, mas ela estava escondida. Talvez uma maneira mais precisa de descrever isso seria dizendo que eu estava me escondendo dela. Raramente achamos confortável encarar nosso pecado e chamá-lo pelo que ele realmente é. Podemos esconder as coisas tão profundamente dentro de nós mesmos que embora estejamos sendo prejudicados por elas, sequer nos damos conta de sua presença. Muitas vezes nos achamos muito superiores ao que somos de fato, até mesmo julgando outras pessoas pelos seus erros e, no entanto, nos recusarmos a ver o nosso próprio pecado.

Deus revelou duas situações específicas em minha vida naquela noite e me mostrou claramente que havia em mim falta de perdão.

Na Bíblia lemos a história de dois irmãos que estavam perdidos. Um havia se perdido por causa do pecado, e o outro por causa da religiosidade. Ambos estavam afastados de Deus, mas de maneiras distintas. Costumamos chamar esse texto de "O Filho Pródigo", e o foco geralmente está no filho mais moço que exigiu sua herança e imediatamente saiu de casa para gastar o dinheiro de seu pai, cultivando um estilo de vida pecaminoso. Como a maioria dos pecadores faz, ele acabou metido em uma enorme confusão. Seu dinheiro tinha acabado; ele estava trabalhando para um criador de porcos e comendo a mesma comida que os animais comiam. Ao refletir sobre o estado miserável em que estava, ele decide voltar para seu pai, pedir perdão e permissão para ser apenas um servo em sua casa (Lucas 15:11-21).

O pai, que representa Deus nessa história, alegrou-se com a volta do filho e fez preparativos para uma enorme celebração em sua honra. Entretanto, o filho mais velho ficou muito infeliz e decidiu que não iria participar da festa. Ele achava que havia vivido uma vida moralmente justa, e lembrou a seu pai de todo o bom trabalho que ele havia feito e de como o pai nunca tinha lhe dado uma festa. Podemos ver imediatamente que o irmão religioso e supostamente justo não estava feliz com a volta do irmão mais moço, mas estava cheio de ressentimento e ira. Ele estava perdido na própria arrogância. Sentia orgulho por suas "boas obras" e havia decidido que seu irmão não merecia ser bem tratado da maneira como estava sendo. O irmão mais velho não foi capaz de entender que sua atitude era ainda pior que o mau comportamento de seu irmão.

Se alguém tivesse ido até ele e dito: "Você precisa liberar perdão", ele não teria acreditado. Esse homem não conseguia enxergar o próprio pecado porque pensava ser aquele um comportamento moralmente justo. Ele havia sido um menino exemplar, seguindo todas as regras, mas Deus não estava se agradando porque o coração dele não era reto. Se ele tivesse refletido a respeito da própria atitude, teria percebido que também precisava de perdão.

Seis Atitudes que Revelam Falta de Perdão

A Falta de Perdão Contabiliza Tudo o que Faz

Enquanto recitava uma lista de coisas que evidenciavam seu comportamento justo para com seu pai, o irmão mais velho disse: "Por todos esses anos tenho te servido". Ele tinha contabilizado suas boas obras e sabia exatamente por quantos anos de bom comportamento ele tinha mérito. Ele criou uma lista, e nós costumamos fazer o mesmo. Gostamos de contabilizar nosso comportamento admirável e de registrar os pecados dos outros. Nós nos comparamos com os outros e no nosso pensamento nos colocamos em uma classe superior a deles. Jesus veio para destruir a distinção de classes. Se pecarmos, nosso socorro está somente nele, e se fizermos o bem, é só porque Ele permitiu que fizéssemos isso. Deus recebe todo o crédito por qualquer coisa boa que façamos. Não somos nada sem Ele, e o que quer que sejamos é nele, portanto toda distinção de classe é destruída e somos todos um em Cristo.

O irmão mais velho contabilizava suas boas obras e os pecados de seu irmão mais novo. Esse é sempre um sinal de que há falta de perdão em nosso coração. Pedro perguntou a Jesus quantas vezes ele tinha de perdoar seu irmão (Mateus 18:21-22). Obviamente, ele estava registrando cada uma das ofensas. O amor "não se ressente do mal" feito a ele (1 Coríntios 13:5). Se quisermos obedecer a Jesus e andar no tipo de amor que Ele nos demonstra, não devemos contabilizar as ofensas que sofremos. Quando perdoamos, precisamos perdoar completamente, e isso significa que vamos esquecer e não lembrar mais delas. Poderíamos lembrar se tentássemos, mas não temos de fazer isso. Podemos perdoar, deixar para lá e não pensar mais nisso.

Houve um tempo no qual eu era capaz de enumerar tudo o que Dave já havia feito para me irritar. Eu sabia quais eram cada um dos seus erros e — acredite se quiser — era arrogante o bastante para orar para que ele mudasse. Sim, eu orava por ele e permanecia cega quanto à minha própria atitude negativa! Agora não sou nem mesmo capaz de dizer a você qual foi a última coisa que Dave fez que me deixou zangada ou frustrada. Fiz um favor a mim mesma e parei de contabilizar todos os erros dele. Agora sou mais feliz, e o diabo está infeliz porque não tem mais domínio sobre essa área em minha vida.

Pergunte-se agora mesmo se você está contabilizando tudo o que os outros lhe fazem, e o que você faz por eles. Se for esse o caso, é só uma questão de tempo até você enfrentar problemas em seus relacionamentos. Além disso, você tem dado espaço para a falta de perdão em seu coração e precisa se arrepender.

A Falta de Perdão se Gaba por Seu Bom Comportamento

O irmão mais velho disse a seu pai que ele nunca havia desobedecido às ordens dele... Aquele rapaz estava se gabando pelo seu bom comportamento enquanto descrevia detalhadamente os pecados cometidos por seu irmão. O julgamento sempre diz: "Você é mau e eu som bom". A Bíblia está cheia de lições sobre os perigos de julgarmos as outras pessoas. Colhemos o que plantamos, e a maneira como julgamos é a maneira como seremos julgados. Se plantarmos misericórdia, colheremos misericórdia, mas se plantarmos julgamento, colheremos julgamento (Mateus 5:7; 7:1-2).

O irmão mais velho não tinha misericórdia, o que geralmente acontece com as pessoas que se consideram melhores que as outras. Jesus disse algumas coisas radicalmente sinceras aos fariseus religiosos do Seu tempo. Ele disse que eles pregavam o que era certo fazer, mas não o praticavam. Eles faziam todas as suas obras para serem vistos pelos homens. Eles eram hipócritas (dissimulados) porque seguiam toda a Lei, mas não queriam levantar um dedo para ajudar ninguém. Eles limpavam o exterior do copo, enquanto o interior continuava sujo. Em outras palavras, o comportamento deles podia ser bom, mas o coração deles era mau (Mateus 23). Pessoas religiosas que se consideraram superiores às demais podem ser as piores pessoas do mundo. Jesus não morreu por nós para que tivéssemos uma religião, mas para que pudéssemos ter um relacionamento de intimidade com

Deus por meio dele. O verdadeiro relacionamento com Deus enternece nosso coração e nos torna sensíveis e misericordiosos para com os outros.

Na noite em que me sentei no banco da igreja pensando não ter falta de perdão em meu coração, eu podia lhe dizer com precisão quantas horas eu orava por semana e quantos capítulos da Bíblia eu lia. No entanto, eu não estava ciente de que havia algo em meu coração que Deus reprovava. Eu era a personificação do irmão mais velho. Felizmente, Deus me transformou, mas sempre dedico tempo para examinar a atitude do meu coração e para me certificar de que não estou levando o crédito pelo bem que Deus faz através de mim. A Bíblia diz que quando fazemos coisas boas, não devemos permitir que nossa mão esquerda saiba o que nossa mão direita está fazendo (ver Mateus 6:3-4). Isso significa que não precisamos ficar pensando a respeito disso. Devemos deixar que Deus nos use para Sua glória e prosseguir na direção do que Ele tem para nós em seguida.

Você compara o quanto acredita ser bom com o quanto acredita serem as outras pessoas más? Você fala coisas como: "Não consigo acreditar que ela fez isso. Eu jamais faria isso"? Nesse caso, você está seguindo por um mau caminho. Quanto melhor você pensar ser, pior achará que os outros são. A verdadeira humildade não pensa em si mesma... Esse não é o foco dela.

Se acharmos que somos melhores que os outros sempre acharemos difícil perdoá-los, portanto vamos nos humilhar diante de Deus e apagar todos os registros mentais que temos das nossas boas obras.

A Falta de Perdão Reclama

O irmão mais velho disse a seu pai: "Tu nunca me deste nem um [pequeno] novilho, para que eu pudesse me alegrar, festejar, ficar feliz e me divertir com os meus amigos" (Lucas 15:29).

Ele tinha a síndrome do mártir — "eu fiz todo o trabalho, enquanto todos brincavam e se divertiam". Ele provavelmente era viciado em trabalho e não sabia se divertir e desfrutar a vida; assim, ele sentia inveja de qualquer um que o fizesse. Ele só sabia reclamar da maneira como estava sendo tratado.

Na noite em que me sentei no banco da igreja para ouvir a pregação sobre a falta de perdão que eu pensei não se aplicar a mim, Deus revelou que eu precisava perdoar meu filho mais velho porque ele não era tão espiritual quanto eu gostaria que ele fosse.

Se você se vê reclamando com frequência sobre uma pessoa específica, há uma boa possibilidade de que você precise perdoá-la em seu coração. Talvez se trate de algo específico ou de coisas que essa pessoa lhe fez, ou pode ser apenas o fato de a personalidade dela irritar você. No caso de meu filho mais velho, eu estava irada com as escolhas dele — mas não lembrava que, naquela idade, as minhas escolhas eram ainda piores que as dele.

Perdoe as pessoas com quem você está zangado, encontre algo positivo para meditar e fale sobre isso, ore e veja Deus trabalhar em você e nas pessoas que você ama.

A Falta de Perdão Afasta, Divide e Separa

O irmão mais velho se referia ao irmão mais novo como "este teu filho". Ele não queria chamá-lo de "meu irmão" porque havia erguido em seu coração uma parede de separação entre eles. Ele se retirou e se recusou a ir à festa e celebrar com os outros. Ele se separou não apenas de seu irmão, mas também de qualquer um que estivesse se alegrando com seu irmão.

Você já ficou com raiva de alguém e depois ficou zangado com outra pessoa porque ela não estava zangada com aquela pessoa também? Houve vezes em que reclamei com Dave sobre a maneira grosseira como alguém havia me tratado e ele começou a defender aquela pessoa. Ele lembrava que ela podia estar enfrentando um dia ruim, e então falava sobre as qualidades dela.

Dave estava tentando me ajudar a ver mais do que um lado da situação. Mas eu ficava zangada com ele por estar defendendo a pessoa com quem eu estava irada. Minha ira não apenas me separava daquela pessoa, como também me separava de qualquer pessoa que gostasse dela. Acho que as pessoas que se sentem ofendidas e cheias de amargura vivem, na maioria das vezes, vidas solitárias e de isolamento. Estão tão ocupadas com seu ressentimento que não têm tempo para nada mais.

O irmão mais velho não estava disposto a ir para uma festa. Se ele o fizesse, possivelmente se divertiria, mas ele preferia reclamar e ficar infeliz. Tudo que diz respeito à tragédia da desunião é muito importante, e falarei mais sobre isso em um capítulo mais adiante.

A Falta de Perdão Traz a Ofensa à Tona Continuamente

Quando nos recusamos a perdoar continuamos encontrando desculpas para falar sobre o que as pessoas nos fizeram. Trazemos o assunto à tona em nossas conversas sempre que possível. Contamos para quem quiser ouvir. Esse tipo de comportamento deveria sinalizar para nós que estamos desobedecendo a Deus e que precisamos buscar a ajuda dele imediatamente para deixarmos a ofensa para trás. O que está no coração sai pela boca. Podemos aprender muito sobre quem verdadeiramente somos ouvindo a nós mesmos.

O irmão mais velho lembrou ao pai que ele estava sendo bom para um filho que não merecia isso e falou sobre todos os pecados cometidos por ele (ver Lucas 15:30). Ele estava cheio de ira e suas palavras ao conversar com o pai provaram isso. Jesus disse que quando nos sentimos irados devemos abandonar esse sentimento, e isso significa parar de trazer o assunto à tona. Você já pensou ter perdoado alguém por uma ofensa, mas percebeu que, quando aquela pessoa fez novamente algo para irritá-lo, você rapidamente trouxe à tona a velha ofensa? Todos nós já fizemos isso. Isso significa que não perdoamos completamente e precisamos pedir ajuda a Deus.

A Falta de Perdão se Ressente pelas Bênçãos Desfrutadas pelo Ofensor

O irmão mais velho estava com ciúmes e tomado pela ira, e ele se ressentia por seu pai abençoar seu irmão mais moço. Ele não queria que o irmão pródigo tivesse uma festa, o bezerro cevado, as vestes novas, as sandálias e um belo anel. Ele se ressentia profundamente por isso.

O ressentimento pelas bênçãos recebidas por outra pessoa revela muito sobre nosso caráter. Deus quer que nos alegremos com aqueles que se alegram e que choremos com aqueles que choram. Ele quer que confiemos nele para fazer o que é certo para cada pessoa. O irmão mais moço da nossa história havia errado, mas nesse momento, ele precisava de perdão, aceitação e cura. O pai dele talvez pretendesse falar com ele sobre seu comportamento equivocado mais tarde, mas naquele instante seu filho precisava de amor. Ele precisava ver a demonstração da bondade e da misericórdia do pai. Deus sempre faz o que é certo para todos, e Ele tem Seus motivos para fazer o que faz, da maneira que faz. O fato de não concordarmos ou não acharmos justo não faz diferença. Se nos mantivermos presos ao ressentimento, seremos justamente aqueles que irão sofrer por causa disso.

Todos os demais foram à festa que o pai deu para o irmão mais moço, somente o irmão mais velho e cheio de amargura se recusou a se divertir. Sua postura negativa não permitia que ele desfrutasse a festa. Ele realmente precisava fazer um favor a si mesmo e perdoar.

Apenas para se certificar de que você não tem nenhuma falta de perdão encoberta, releia a lista de coisas que acabo de mencionar e faça isso com o coração aberto. Peça a Deus para revelar qualquer amargura, ressentimento, falta de perdão ou ofensa que você possa ter guardado. Verifique os sintomas da falta de perdão e, se você descobrir que a tem em seu coração, corra para o Doutor Jesus em busca de cura.

CAPÍTULO

12

O Poder e a Bênção da Unidade

Unidade, concordância e harmonia são encorajadas e ordenadas ao longo de toda a Palavra de Deus. A única maneira de serem mantidas é estarmos dispostos a ser rápidos em perdoar e generosos em misericórdia. O mundo hoje está cheio de discórdia. Ouvimos falar regularmente de guerras, ódio e revoltas nos governos, nas denominações eclesiásticas e em organizações empresariais de todo o tipo. Mas em meio a tudo isso, Deus nos oferece paz. Podemos escolher de que maneira queremos viver.

> Oh! Quão bom e quão suave é que os irmãos vivam em união.
>
> Salmos 133:1

O salmista prossegue dizendo que quando há unidade, o Senhor ordena a bênção e a vida para sempre. Deus honra aqueles que se esforçam para viver em harmonia. Jesus disse que aqueles que buscam a paz e são mantenedores dela são filhos de Deus. Isso significa que essas pessoas são espiritualmente maduras. Elas vivem em uma dimensão que vai além de seus sentimentos e estão dispostas a se humilhar sob a poderosa mão de Deus e obedecer-lhe. Elas tomam a iniciativa de manter a unidade e estão determinadas em fazê-lo.

Pense na atmosfera em que você vive ou trabalha. Ela é pacífica? As pessoas convivem bem? Se não, o que você está fazendo para mudar isso? Você pode orar e também encorajar as outras pessoas a conviverem harmoniosamente. E, se a falta de harmonia é em parte culpa sua, é possível mudar. Você pode parar de discutir por coisas que na verdade não importam. Você pode tomar a iniciativa e pedir desculpas quando se desentende com alguém. Um dos primeiros bons frutos que a sabedoria produz é a paz. Ande em sabedoria e sua vida será abençoada.

> Mas a sabedoria que do alto vem é primeiramente pura (imaculada), depois amante da paz, cortês (respeitosa, pacífica). Ela está disposta a dar razão ao outro, é cheia de compaixão e de bons frutos.
>
> Tiago 3:17

Escolhendo a Unidade

Como mencionei, há tumulto e agitação por toda parte à nossa volta, de modo que se quisermos unidade e a paz que ela produz, nós precisaremos escolhê-la deliberadamente. Precisamos aprender os caminhos de Deus e trabalhar com Seu Espírito Santo para promover a paz.

Qualquer pessoa casada sabe que frequentemente encontramos diversos motivos para discordar. Geralmente nos casamos com alguém cuja personalidade é o oposto da nossa, e isso significa que não pensamos do mesmo modo. Podemos discordar, mas podemos aprender a discordar de forma respeitosa e gentil.

Dave e eu somos muito diferentes e desperdiçamos muitos anos discutindo até aprendermos sobre os perigos da contenda e o poder da unidade. Assumimos o compromisso de ter paz no nosso relacionamento, na nossa casa e no nosso ministério. Acreditamos firmemente que Deus não podia nos abençoar da maneira que Ele desejava enquanto estivéssemos divididos. Você provavelmente já ouviu a frase: "Unidos nos mantemos de pé, divididos, nós caímos", e ela é verdadeira. A Bíblia diz que uma pessoa pode colocar mil para correr e duas podem colocar dez mil para correr (ver Deuteronômio 32:30). Vemos nesse versículo como o poder é multiplicado quando escolhemos viver em concordância.

Fui a causa da maior parte de nossas discussões. Dave sempre foi uma pessoa pacífica, e ele detesta o estresse que é criado quando discutimos e continuamos zangados. Fui criada em uma casa onde não havia unidade, por isso tive de aprender o que era a paz. Estudei a Palavra de Deus e procurei aprender o que eu precisava mudar para ter paz. Descobri que não há paz sem humildade. A humildade é a principal virtude a ser buscada e provavelmente a mais difícil de ser alcançada e mantida.

Uma pessoa verdadeiramente humilde evita toda conversa vazia (vã, inútil e fútil), pois esse tipo de conversa nos conduz mais e mais à impiedade. Ela não abre espaço em sua mente para controvérsias ridículas a respeito de questões tolas, pois sabe que isso alimenta e promove a contenda.

Você consegue se lembrar da última vez que teve uma discussão com alguém sobre uma questão incrivelmente pequena e ridícula? Talvez você estivesse tendo um dia ruim e tenha dito algo que não deveria, e isso iniciou uma discussão. Você poderia ter pedido desculpas rapidamente, mas o orgulho fez você continuar essa conversa tola, tentando provar que estava certo. Você desperdiçou seu dia, ficou estressado, com dor de cabeça, um nó no estomago e sem vontade de orar. Em seu coração você sabia que havia se comportado mal e parte de você queria dizer: "Sinto muito; a culpa foi minha e peço que você me perdoe". Mas a outra parte, a carne, fez você se recusar a fazer isso teimosamente.

Lembro-me de muitas vezes em que isso aconteceu, mas felizmente não vivo mais assim. Odeio contenda, tumulto, desarmonia e discórdia. Estar certo não é tão importante quanto parece. Geralmente discutimos com os outros com o único propósito de provar que estamos certos acerca de um impasse, mas ainda que estejamos, será que realmente ganhamos alguma coisa além do sentimento de orgulho e vaidade? Creio que estaríamos muito melhor se nos humilhássemos e deixássemos a vingança por conta de Deus. Ele é capaz de provar que estamos certos em uma situação se esse for o Seu plano melhor. A Palavra de Deus afirma que o amor não insiste nos seus próprios direitos (1 Coríntios 13:5). Ele nem sequer insiste no direito de estar certo!

Você está disposto a deixar que outra pessoa pense que está certa, ainda que você não acredite que seja o caso, em vez de começar uma discussão? Nesse caso, você está um passo mais perto de ser um pacificador e de manter a unidade.

Recentemente fiz uma viagem com cerca de onze membros da minha família que incluíam Dave, dois de nossos filhos, seus cônjuges e vários netos, alguns deles adolescentes. Ficamos todos na mesma casa e tivemos oportunidade de abrir espaço para a desunião e para ferir os sentimentos uns dos outros. Nem todos queriam fazer a mesma atividade ou assistir à mesma coisa na televisão, brincar do mesmo jogo ou comer no mesmo lugar. Os adolescentes podem muitas vezes ter atitudes que nos deixam muito frustrados, e temos de lembrar que quando tínhamos essa idade nós não nos comportávamos melhor do que eles se comportam agora.

Meu ponto de vista é que, embora todos nós naquela viagem fôssemos cristãos que buscam obedecer a Deus e viver em paz, tivemos de nos esforçar para tal, assim como você também terá de fazer se deseja a unidade. É impossível manter uma atmosfera pacífica na situação que descrevi, a não ser que todos estejam dispostos a se humilhar e a ser generosos em misericórdia e perdão. Deus sabia bem o que Ele estava fazendo quando nos instruiu na Sua Palavra a sermos rápidos em perdoar. Satanás está sempre à espreita tentando criar problemas, mas Deus nos deu ferramentas para derrotá-lo. Seja generoso em misericórdia, seja paciente e longânimo, seja compreensivo, reconheça os próprios pecados, e isso o ajudará a não julgar os outros precipitadamente e a perdoar rápida e completamente para não cair na armadilha da contenda preparada por Satanás.

Relacionamentos são muito importantes para todos nós. Os ruins nos atormentam, mas os bons relacionamentos estão entre as coisas mais benéficas e abençoadoras do mundo. Satanás procura destruí-los porque ele conhece o poder da unidade. Ele usa as diferenças nas nossas personalidades contra nós. Ele faz com que tiremos o que é dito do contexto, ele promove sentimentos de mágoa, ira e uma atitude rebelde que se recusa a perdoar. Mas temos autoridade sobre Satanás, e podemos resistir a ele e a todas as suas táticas para trazer divisão aos nossos relacionamentos em casa, no trabalho, na escola, na igreja ou em qualquer lugar onde estivermos.

Pergunte a si mesmo quais os benefícios trazidos pela confusão. Ela nos faz algum bem ou alguma diferença na situação? Na maior parte do tempo, a contenda só nos torna infelizes e não traz nada de bom. Vamos tomar a decisão de trabalhar pela paz e sermos pacificadores. Nenhum de nós pode resolver todo o caos que existe no mundo, mas podemos ser responsáveis por nossa vida e nossos relacionamentos. Comece a orar e pergunte a Deus o que você pode mudar para promover mais paz em sua vida.

Adapte-se

A maioria de nós quer que as coisas sejam feitas do nosso jeito, mas, para ter unidade, precisamos aprender a nos ajustar e nos adaptar. Considere estes versículos:

> Vivam em harmonia uns com os outros; não sejam arrogantes (esnobes, soberbos, excludentes), mas

> ajustem-se prontamente às [pessoas, coisas] e dediquem-se a tarefas humildes. Nunca se superestimem nem sejam sábios no seu próprio conceito.
> A ninguém paguem mal por mal, mas esforcem-se por fazer o que é honesto, adequado e nobre [ansiando ser irrepreensíveis] aos olhos de todos.
> Se possível, no que depender de vocês, vivam em paz com todos.
>
> Romanos 12:16-18

Ao examinar detalhadamente esses versículos, percebemos rapidamente que não podemos viver em harmonia uns com os outros se não nos comportarmos da maneira correta. Precisamos ter uma postura de humildade, que esteja disposta a se adaptar e se ajustar às outras pessoas e situações. Devemos sempre defender o que acreditarmos ser certo, mas nas questões menores e naquelas em que podemos nos adequar aos outros, devemos nos esforçar para fazê-lo.

Não é bom querer sempre as coisas do nosso jeito. Precisamos viver a experiência de nos submetermos uns aos outros em humildade e amor. Todos nós precisamos ceder a outros, dando preferência a eles e aos seus desejos às vezes. E precisamos fazer isso com uma atitude positiva.

Durante a maior parte da nossa vida de casados, Dave sempre me deixava escolher onde iríamos comer quando saíamos para jantar. Por ser uma pessoa tranquila, isso não era algo muito importante para ele. Mas era e ainda é importante para mim. Ao longo dos últimos anos, por alguma razão, ele se tornou muito seletivo sobre onde e o que come, e de repente ele parece não querer comer onde quero na maioria das vezes. Ele decidiu que não gosta de alho, e comida italiana é a minha favorita, então estou certa de que você pode entender qual é o impasse. Também gosto de comida chinesa e, embora ele esteja disposto a comer esse tipo de comida às vezes, ela não pode ser gordurosa ou deixar um gosto forte na boca. Inevitavelmente, precisarei me adaptar. Sempre fui seletiva a respeito de onde comer, então acho que é a vez dele de ser seletivo se quiser.

Devo admitir que isso tem sido um pouco difícil para mim. Todas as vezes que conseguimos fazer as coisas do nosso jeito em alguma área por muito tempo, é difícil quando de repente as coisas mudam. Mas lembrei a mim mesma que Dave me deixou escolher onde comer por quarenta e quatro anos, portanto parece que realmente é a vez dele. Às vezes podemos conseguir nos adaptar com mais facilidade se não reagirmos emocionalmente e dedicarmos tempo para refletir de forma racional sobre o assunto.

A passagem bíblica anterior também nos diz para não superestimarmos a nós mesmos. Nunca devemos pensar que o que queremos é mais importante do que aquilo que os outros querem. Todos nós temos o mesmo valor e direitos iguais; ter isso em mente nos ajuda a nos adaptarmos aos desejos de outras pessoas.

Aumente Seu Poder de Oração

A oração é o maior privilégio que temos e ela abre a porta para recebermos poder e bênçãos tremendas em nossa vida e nas vidas dos outros. Deus ouve e responde às nossas orações, mas Ele nos diz que devemos orar sem ira e em concordância.

> Desejo, portanto, que em todo lugar os homens orem, sem ira ou animosidade ou ressentimento ou dúvida [em suas mentes], levantando mãos santas.
>
> 1 Timóteo 2:8

Esse versículo declara claramente que a ira não pode ser parte da nossa oração. Em Marcos, capítulo 11, lemos que, antes de orar, devemos primeiro perdoar qualquer pessoa contra quem tenhamos alguma questão. Esse versículo reafirma que não podemos orar com o coração cheio de ira e contenda e esperar que nossas orações sejam respondidas.

Existem muitas, muitas pessoas no mundo hoje que estão cheias de ira, e boa parte delas são cristãs e sabem o que é certo. Elas oram e pensam erroneamente que sua ira não irá fazer diferença. Elas podem se sentir no direito de estar com raiva, mas Deus a condena e diz que precisamos abrir mão dela antes de orar. A melhor maneira de se aproximar de Deus em oração é primeiro se arrependendo de todos os seus pecados e depois se certificando de que não há falta de perdão em seu coração para com ninguém mais. Como podemos esperar que Deus nos perdoe se estivermos nos recusando a perdoar outras pessoas? Estou certa de que nossas ofensas contra Deus são muito mais graves do que as que as outras pessoas cometeram contra nós.

Um casal ou uma grande família têm um tremendo poder de oração se assumirem o compromisso de viver em concordância.

> Em verdade lhes digo, se dois de vocês na Terra concordarem (estiverem em harmonia, fizerem uma sinfonia juntos) acerca do que quer que seja [qualquer coisa e tudo] que pedirem, isso sucederá e lhes será feito por meu Pai que está no céu.
>
> Mateus 18:19

Esse versículo é realmente impressionante e, se cremos de fato no que ele diz, devemos certamente assumir o compromisso de viver em unidade e harmonia. Nosso orgulho tolo não paga o preço do quanto nossa oração perde em termos de poder.

Houve uma época da minha vida em que eu realmente achava que podia discutir com Dave quando bem entendesse e, ainda assim, quando precisássemos de uma vitória em alguma área da nossa vida, poderíamos nos unir e fazer o que costumamos chamar de "oração de concordância". Mas como vemos em Mateus 18:19, esse tipo de oração não funcionará. O tipo de poder sobre o qual Deus está falando só está disponível àqueles que assumem o compromisso de fazer todo o possível para serem pacificadores e mantenedores da paz. Se alguém age dessa maneira, Deus se agrada tanto, que Ele honrará as orações dessa pessoa de forma especial. Foi logo depois desse versículo que Pedro perguntou a Jesus quantas vezes ele tinha de perdoar seu irmão. Pedro queria que sua oração tivesse esse tipo de poder, mas parece que ele reconhecia ter problemas com um ou mais dos discípulos. Ele simplesmente estava perguntando até onde Jesus esperava que ele fosse para manter a paz. A resposta que Jesus deu foi basicamente que Pedro precisava perdoar tantas vezes quantas fosse necessário para permanecer em unidade.

> Então, Pedro aproximou-se dele e disse: "Senhor, até quantas vezes meu irmão pecará contra mim, que eu lhe perdoe e esqueça? Até sete vezes?"
>
> Mateus 18:21

Estou certa de que Pedro pensou que estava sendo muito generoso, de modo que a resposta de Jesus deve tê-lo deixado bastante chocado.

> Respondeu-lhe Jesus: "Não te digo que até sete vezes, mas até setenta vezes sete!"
>
> Mateus 18:22

Isso soma quatrocentas e noventa vezes, mas até esse número é simplesmente a maneira de Jesus dizer: "Perdoe quantas vezes for preciso e não imponha limites".

A oração é um dom muito precioso e um privilégio muito poderoso, portanto não faz sentido que estraguemos tudo vivendo em discordância. Reserve um tempo antes de orar para sondar seu coração e, se precisar acertar as coisas com alguém que você conheça, seja a parte que toma a iniciativa em fazer as pazes.

Isso é tão sério, que Deus chega até a nos dizer em Sua Palavra que quando levamos nossa oferta ao altar, se nos lembrarmos de que nosso irmão tem algo contra nós, devemos deixar a oferta e ir fazer as pazes com ele (Mateus 5:24). Isso certamente está nos ensinando a sermos a parte que toma a iniciativa no processo de paz.

O Poder de Servir

Um grande poder passa a estar à nossa disposição quando entregamos nossa vida para servir a Deus. Jesus enviou os discípulos de dois em dois e disse-lhes para pregarem o Evangelho e curarem os enfermos. Ele também lhes disse para encontrarem uma casa onde pudessem ficar e habitar em paz (ver Lucas 10:1-9). Ele sabia que era impossível eles viverem conflitos em seus espíritos e ao mesmo tempo terem Seu poder fluindo através deles. A promessa feita por Deus a eles certamente valia qualquer esforço necessário para se permanecer em harmonia.

> Eis que lhes dei autoridade e poder para pisarem serpentes e escorpiões e [força e capacidade física e mental] sobre todo o poder que o inimigo [possui]; e nada, absolutamente, lhes causará dano.
>
> Lucas 10:19

Quero que essa promessa seja uma realidade em minha vida e estou certa de que você também quer. Portanto, vamos assumir o compromisso de viver em unidade, harmonia e concordância. Isso não significa que devemos sempre pensar como as outras pessoas ou mesmo concordar com as escolhas delas, mas significa que concordamos em não brigar por causa dessas coisas. Podemos evitar muitos conflitos se simplesmente cuidarmos da própria vida. Devemos sempre lembrar que se não somos responsáveis por determinada questão, não precisamos ter uma opinião a respeito dela.

Frequentemente emitimos nossa opinião sem que ninguém a peça ou deseje, e isso se torna motivo para discussão ou é encarado como uma ofensa. Sou o tipo de pessoa que gosta de opinar sobre tudo, mas pedi ao Espírito Santo para me ajudar a ter sabedoria para guardar minhas opiniões para mim mesma, a não ser que alguém as peça. Ainda tenho algumas dificuldades nessa área, mas estou aprendendo continuamente o quanto isso é importante.

O apóstolo Paulo escreveu uma carta à igreja dos filipenses na qual encorajou duas mulheres chamadas Evódia e Síntique a conviverem harmoniosamente. Ele até encorajou outras pessoas a ajudarem essas duas mulheres a conviverem bem e a continuarem cooperando enquanto trabalhavam na divulgação do Evangelho (ver Filipenses 4:2-3). Não sabemos exatamente qual era o problema entre as duas, mas talvez parte do problema fosse o fato de terem muitas opiniões sobre as escolhas uma da outra. Paulo deve ter ouvido falar que aquelas duas mulheres estavam tendo dificuldades de convivência e, por saber que isso enfraqueceria o poder do ministério delas, ele dedicou tempo a escrever uma carta na qual incluiu instruções especiais para elas no tocante a essa questão. Se quisermos servir a Deus poderosamente, precisamos conviver em harmonia uns com os outros. Precisamos ter unidade!

Escrevendo aos filipenses, o apóstolo Paulo disse:

> Completem a minha alegria vivendo em harmonia e sendo de um mesmo pensamento e propósito, tendo o mesmo amor, estando de pleno acordo e tendo uma mente e intenção harmoniosas.
>
> Filipenses 2:2

Todos os homens e mulheres verdadeiramente notáveis sobre os quais lemos na Bíblia eram comprometidos com a unidade. Eles sabiam que seu serviço a Deus seria destituído de poder sem ela. No início do nosso ministério, Dave e eu recebemos uma revelação de Deus com relação aos perigos da contenda. A contenda não é um problema sem importância, ela é perigosa. Se não a determos, ela se espalha como uma doença contagiosa. Odeio a contenda e o que ela faz com a vida das pessoas, e trabalho diligentemente para mantê-la fora da minha vida.

> Esforcem-se para viver em paz com todos e busquem essa consagração e santidade sem a qual ninguém [jamais] verá o Senhor.
> Exerçam a perspicácia e estejam vigiando para cuidar [uns dos outros], para ver que ninguém se separe da graça de Deus (o Seu favor imerecido e a Sua bênção espiritual) e deixe de consegui-la, para que nenhuma raiz de ressentimento (rancor, amargura ou ódio) brote e cause problemas e tormento amargo, e muitos sejam... contaminados por ela.
>
> Hebreus 12:14-15

Esse versículo nos ensina que devemos nos esforçar (trabalhar diligentemente) para manter a contenda fora da nossa vida. Como eu disse, isso exigirá muita humildade e disposição para ser um pacificador de maneira ativa. Significa que precisamos abrir mão do nosso direito de estar certo, cuidar da nossa própria vida e, muitas vezes, refrear nossa língua para não dizer algo que gostaríamos, mas que só vai causar problemas.

Passei muito tempo ensinando sobre esse assunto assim como outros cuja função é promover a unidade entre as pessoas. A vida é infeliz quando não temos paz, e a verdade é que quando não temos paz, não temos poder.

Devemos ajudar-nos uns aos outros a ficar longe das contendas. Temos um pastor na nossa equipe que tem muitos dons maravilhosos, mas uma das coisas em que ele é especialmente bom é na "solução de conflitos". Se tivermos um departamento ou mesmo dois funcionários que permitam que a contenda entre em seu relacionamento, esse membro da equipe trabalha com eles e os ajuda a encontrar uma solução para o conflito que está causando desunião. Sabemos que a obra feita por nós para Deus perderá força se não tivermos unidade.

Com frequência vemos que a contenda é causada pela falta de comunicação. Muitos relacionamentos são destruídos por causa disso, algo bastante triste, já que podemos aprender boas técnicas de comunicação se realmente desejarmos. Nosso pastor ajuda as pessoas que estão vivendo algum tipo de conflito a se comunicarem, e isso quase sempre resolve o problema. Se não resolve e percebemos que uma ou mais das partes envolvidas está determinada a continuar brigando, então sabemos que o Ministério Joyce Meyer não é o lugar certo para aquela pessoa trabalhar. Precisamos ter unidade para que possamos trabalhar para Deus de maneira eficaz.

Dois homens sobre os quais lemos na Bíblia, Abraão e Ló, tiveram um conflito por causa de um problema acerca dos direitos de pastagem para o gado. Abraão, um homem muito sábio, rapidamente procurou Ló e disse: "Que não haja contenda entre nós". Então ele ofereceu a Ló a porção de terra que ele quisesse e afirmou que estava disposto a ficar com o que sobrasse. Vemos Abraão se humilhando nessa situação e fechando a porta para uma futura desunião. Ló escolheu a melhor parte da terra para si, mas Deus abençoou Abraão ainda mais do que antes por causa da sua disposição em manter a paz (ver Gênesis 13).

Usei essa história como um lembrete para me ajudar a manter a contenda fora da minha vida, e uso-a frequentemente quando ensino. Se você se humilhar e mantiver a contenda fora da sua vida, Deus o abençoará tremendamente e você irá orar e servir a Deus poderosamente, e também desfrutará de paz.

Quero encerrar este capítulo com um lembrete final de que a única maneira de vivermos em unidade é se formos generosos em misericórdia e perdão. Deus nos deu uma chave para a paz ao nos ensinar a perdoar aqueles que nos ferem, e podemos confiar nele para fazer justiça e nos vingar sempre que for necessário. A nossa parte é perdoar e a parte de Deus é fazer justiça. Faça seu trabalho e deixe Deus fazer o dele.

> Sejam ávidos e esforcem-se diligentemente para proteger e manter a harmonia e a unidade do Espírito [e produzida por Ele] no poder do vínculo da paz.
>
> Efésios 4:3

CAPÍTULO

13

Tem Misericórdia de Mim, Ó Deus

Perdoar aos outros as suas ofensas é muito mais fácil quando estamos realmente cientes de nossos próprios pecados e nossas imperfeições. Deus nunca nos pede para fazer pelos outros o que Ele não fez primeiro por nós. Deus demonstra Seu perdão antes de começar a nos ensinar sobre nossa necessidade de perdoar as pessoas. Deus quer ter um relacionamento conosco, Ele quer ter unidade e harmonia conosco; portanto, Ele precisa nos perdoar.

O perdão é precedido pela enorme graça e misericórdia de Deus. Na verdade, a misericórdia é um dos Seus mais belos atributos. A misericórdia é algo incrível com o qual devemos nos maravilhar. Aqui na Terra, nós, de certa forma, esperamos por ela, mas creio que no céu os anjos ficam assombrados com a misericórdia de Deus. O pastor e escritor cristão Andrew Murray disse: "A onisciência de Deus é uma maravilha, a onipotência de

Deus é uma maravilha, a santidade imaculada de Deus é uma maravilha, mas a maior de todas as maravilhas é a misericórdia de Deus".

Deus perdoa completamente e restaura à comunhão com Ele o mais miserável dos pecadores. Ele é bom com aqueles que não merecem absolutamente nada. Se percebêssemos quantas vezes ao dia Deus nos perdoa por algo que pensamos, dissemos, ou fizemos, não acharíamos uma tarefa tão difícil perdoar outros que pecaram contra nós. Deveríamos erguer nossa voz a Deus muitas vezes por dia e dizer: "Tem misericórdia de mim, ó Deus, e ajuda-me a ter misericórdia dos outros".

Deus nunca nos pede para fazer nada sem nos equipar para isso. Ele nunca nos pede para dar a outros o que Ele não nos deu primeiro. Deus nos dá amor incondicional e pede para amarmos os outros incondicionalmente. Ele nos dá misericórdia e pede para sermos misericordiosos. Ele nos perdoa e nos pede para perdoarmos os outros. Isso é pedir demais? Creio que não.

A Bíblia nos ensina que a quem muito é dado, muito é pedido (Lucas 12:48). Deus dá muito e, portanto, tem o direito de esperar muito de nós. Pare um instante. Relembre sua vida e tente recordar as muitas coisas que Deus tem se disposto a perdoar em você. Você tem se sentido culpado por cometer o mesmo pecado inúmeras vezes? Deus, na Sua misericórdia, tem agido em sua vida e o perdoado continuamente até você aprender a fazer o que é certo? É claro que a resposta é sim. Sim para todos nós.

O que Deus Fez por Nós em Cristo?

Por meio do sacrifício de Jesus Cristo, Deus nos atraiu para Si das trevas para a luz. Ele nos encontra em nosso pecado e nossa miséria e nos oferece uma nova vida. Se simplesmente dissermos "sim", Ele perdoa completamente todos os nossos pecados e nos coloca em uma posição reta diante dele por Sua graça e misericórdia. Ele não apenas perdoa os pecados, como os coloca tão distantes quando o Oriente do Ocidente e não se lembra mais deles (ver Hebreus 10:17 e Salmos 103:12). Ele nos ergue do poço do desespero e dá significado à nossa vida (Tiago 4:10), e o impressionante é que não merecemos nada disso. Não fizemos nada digno da graça de Deus nem podemos fazer nada digno dela. O perdão é definitivamente um dom. É um presente que recebemos e um presente que precisamos estar dispostos a dar. Ele não é apenas um presente que damos a outros, mas é, na verdade, um presente que damos a nós mesmos. Quando perdoamos alguém, presenteamos a nós mesmos com paz de espírito, energia renovada e tempo para fazer coisas construtivas em vez de nos afligirmos e ficarmos ruminando feridas, entre outras coisas.

A misericórdia é bondade além do razoável. Em outras palavras, não podemos encontrar o motivo para a bondade de Deus. Ele simplesmente é bondoso, e nós somos os receptores abençoados da Sua bondade.

Deus em Cristo nos redimiu, nos justificou, nos santificou e está sempre dedicado ao processo de nos restaurar. Sejamos sempre gratos pela Sua misericórdia. Preciso de misericórdia hoje e todos os dias. Fico maravilhada diante dessa grande misericórdia, e meu assombro aumenta à medida que dedico tempo para realmente pensar no que Deus fez por mim.

Você está tendo dificuldade neste momento para perdoar alguém que lhe fez mal ou feriu? Nesse caso, eu gostaria de sugerir que você reserve apenas quinze minutos e pense seriamente no quanto Deus lhe perdoou. Creio que fazer isso irá torná-lo mais humilde, e então você achará fácil perdoar aqueles que lhe fizeram mal.

Ah, meu amigo, por favor, perdoe! Não passe nem mais um dia de sua vida sendo amargo e ficando irado por algo que aconteceu e não pode ser desfeito. Não viva sua vida olhando para o espelho retrovisor. Peça a Deus para torná-lo amável, e não amargo. Confie nele para fazer com que qualquer coisa injusta que tenha lhe acontecido coopere para o bem. Lembre-se de que sua parte é obedecer a Deus e perdoar, e a parte dele é restaurar e trazer vingança. Não desperdice nem mais um dia precioso da sua vida tendo um espírito que se recusa a perdoar. Peça a Deus para fazer operar em você a atitude que Ele mesmo tem... Uma atitude misericordiosa e perdoadora.

Jesus não é rude nem duro. Ele é misericordioso, lento em se irar, pronto para perdoar e para ajudar (Mateus 18:28-30). Jesus nos ensina que Ele deseja misericórdia e não sacrifício (Mateus 12:7). Podemos analisar esse versículo sob dois pontos de vista. Primeiramente, podemos ver que Deus quer nos dar misericórdia e Ele não está interessado em nossos sacrifícios. Jesus é o sacrifício único e final que será necessário. Nossos sacrifícios são inúteis sob a Nova Aliança. Só podemos nos voltar para Jesus e pedir misericórdia quando pecamos, e Ele está sempre pronto para dá-la a nós. Gosto da ideia de que Deus está pronto para perdoar. Não precisamos esperar que Ele fique pronto, não precisamos convencê-lo a fazer isso... Ele está pronto a perdoar. Ele já tomou Sua decisão de ser sempre misericordioso e perdoador. Podemos fazer o mesmo. Podemos nos decidir antecipadamente para que, quando as ofensas vierem, estejamos prontos a perdoar!

Em segundo lugar podemos perceber nesse versículo o fato de Deus desejar que nós ofereçamos misericórdia aos outros sem exigirmos sacrifícios deles. A glória do homem é desconsiderar uma ofensa (Provérbios 19:11). Temos o privilégio de desconsiderar as coisas que outros fizeram para nos ferir. Deus nos equipou para isso. A ofensa virá até nós, mas não temos de recebê-la.

Quando alguém nos fere, podemos tentar fazer essa pessoa pagar fazendo com que ela se sinta mal ou ficando sempre tocando no mesmo assunto; podemos excluí-la da nossa vida nos recusando a falar com ela. Essa é a maneira como nós, seres humanos, exigimos sacrifícios dos outros para que eles paguem pelo seu pecado contra nós. Mas temos outra opção. Podemos ser misericordiosos.

O que Deus Espera de Nós?

Deus conhece cada pecado que cometeremos antes mesmo de nós o cometermos. Ele conhece nossa estrutura, sabe que não somos nada além de pó, por isso não espera que nunca cometamos erros. Foi um grande consolo para mim quando Deus falou ao meu coração e disse: “Joyce, você não é uma surpresa para Mim”. Deus nunca é pego de surpresa quando passamos por provações, Ele tem o nosso livramento planejado antes mesmo que o problema chegue a nós. Deus nunca se surpreende com nossos erros e nossa carnalidade. Ele já decidiu ser misericordioso. O que Deus espera é que o amemos e queiramos fazer a Sua vontade. Ele quer que prontamente nos arrependamos e trabalhemos com Seu Espírito Santo em busca da maturidade espiritual. Ele não se sente irado porque ainda não chegamos lá, mas espera nos ver prosseguindo para a marca da perfeição.

O apóstolo Paulo disse que seu único objetivo era deixar o que ficou para trás e prosseguir para o alvo da perfeição (Filipenses 3:13). Imagine só, Paulo, responsável por receber e escrever dois terços do Novo Testamento, ainda estava prosseguindo para o alvo. Fico muito feliz porque Deus incluiu esse exemplo na Bíblia. Sou encorajada por saber que Deus me conhece completamente e entende que sou um ser humano nascido de novo cujo coração foi renovado, mas cuja alma e corpo ainda estão tentando acompanhar a grande obra que Ele fez em meu espírito.

A verdade é que Deus não espera que sejamos perfeitos. Se fôssemos capazes de viver sem pecado, não precisaríamos de Jesus. Mas precisamos dele a cada instante, todos os dias. Ele está atualmente sentado à destra de Deus intercedendo por nós (Romanos 8:34). Ele perdoa sempre nossos pecados se nós os admitimos e nos arrependemos (1 João 1:9). Deus definitivamente preparou uma provisão de perdão para os pecados, e é por Sua grande misericórdia que podemos permanecer em comunhão e ter um relacionamento com Ele embora ainda não tenhamos alcançado a perfeição em nosso comportamento.

O que Você Espera das Pessoas?

Precisamos saber que certamente, em algum momento, precisaremos ser misericordiosos para com os outros. As pessoas não são perfeitas e cometerão erros. Elas nos ferirão e decepcionarão, mas a verdade é que nós fazemos o mesmo com elas. Nem sempre sabemos que fizemos algo para ferir os outros, mas sempre sabemos o que eles fizeram para nos ferir.

Se não sou perfeita, por que esperar a perfeição daqueles com quem me relaciono? Realmente acredito que nossas imperfeições são a razão pela qual Deus nos disse para sermos rápidos em perdoar. Ele preparou uma provisão de perdão para todos os nossos erros ao nos perdoar e nos dar a capacidade de perdoar os outros se estivermos dispostos a isso. Neste momento de nossa vida, Dave e eu estamos casados há quarenta e quatro anos. Perdoamos um ao outro milhares de vezes durante esse período, e precisaremos nos perdoar repetidas vezes ao longo do restante dos nossos anos juntos.

Aprendemos a demonstrar misericórdia um para com o outro sem nem sequer mencionar algo que o outro fez e que nos deixou irritados. Podemos ignorar as falhas um do outro e desculpá-las. Creio que este é um belo pensamento: "Podemos permitir que o outro cometa erros".

> Vivendo em total submissão mental (humildade) e mansidão (altruísmo, gentileza, brandura), com paciência, suportando uns aos outros e desculpando uns aos outros, porque vocês amam uns aos outros.
>
> Efésios 4:2

Anos atrás, Dave e eu paramos de exigir um do outro que fôssemos perfeitos. Percebemos o quanto Deus é misericordioso para conosco e decidimos fazer o mesmo um pelo outro. Desculpar um ao outro nos ajudou a ter um casamento bom e duradouro. Sonde seu coração. Você pressiona seu cônjuge, sua família ou seus amigos para que sejam perfeitos ou para tratar você perfeitamente? Você é rude, duro e exigente? Você perdoa as pessoas pelas fraquezas delas? Você é generoso e misericordioso? Essas são algumas boas perguntas que devemos fazer a nós mesmos ocasionalmente. Responda-as sinceramente, e se sua atitude não for como a de Jesus, peça a Ele para ajudar você a mudá-la.

Precisamos renovar nossa mente e nossa atitude diariamente. Nem sempre uma boa atitude é algo que temos de forma natural. Às vezes permitimos que as coisas desandem e precisamos renovar o compromisso de fazer as coisas do jeito de Deus. Se você está hoje vivendo esse momento, não há porque se envergonhar. Alegre-se, pois com a ajuda de Deus, você está sendo capaz de enxergar a verdade que o libertará.

O que Jesus Esperava dos Seus Discípulos?

Jesus escolheu deliberadamente homens fracos e tolos para trabalhar com eles e através deles, a fim de que não pudessem tomar a glória que sempre pertence somente a Deus. Pedro falava demais e era muito orgulhoso. Ele chegou a negar que conhecia Jesus por três vezes quando estava sob forte pressão, mas Jesus demonstrou misericórdia e bondade para com ele. Pedro foi perdoado e se tornou um grande apóstolo.

Tomé duvidou do que Jesus disse, mas Jesus demonstrou misericórdia por ele e continuou trabalhando em sua vida. Ele até foi ao encontro de Tomé quando estava cheio de dúvida e incredulidade, mostrando-lhe Suas mãos marcadas pelos cravos após a ressurreição. Tomé tinha dito que não acreditaria a não ser que visse, e Jesus lhe mostrou o que ele precisava ver em vez de rejeitá-lo pela sua atitude incrédula.

Os discípulos às vezes demonstravam um comportamento ridículo para um grupo de homens que estavam viajando com Jesus. Eles discutiram sobre qual deles era o maior. Eles adormeceram quando Jesus precisou deles e pediu que orassem com Ele por uma hora.

Eles eram imperfeitos, mas Jesus sabia disso quando os escolheu. Ele orou a noite inteira antes de escolher os doze homens que levariam o Evangelho ao mundo conhecido da época depois da Sua morte e ressurreição. Imagine, doze homens imperfeitos a quem geralmente faltava sabedoria, que duvidavam, que demonstravam orgulho, que discutiam entre si e que queriam saber quantas vezes tinham de perdoar um ao outro. A meu ver, eles se parecem muito conosco.

Aprenda a Receber Misericórdia

Assim como eu, tenho certeza de que você também reconhece ser imperfeito e que precisa de muita misericórdia. Deus está pronto para dar misericórdia, mas você sabe como recebê-la? Podemos pedir a Deus para nos perdoar pelos nossos pecados, mas será que recebemos Seu perdão perdoando a nós mesmos? Você continua guardando dentro de si uma série de pecados cometidos no passado? Eu fiz isso por anos e, por isso, não conseguia demonstrar misericórdia aos outros. Como costumo dizer: "Não podemos dar o que não temos".

Você recebeu misericórdia? Ao ler este livro, existem coisas das quais você ainda se sente culpado muito embora tenha se arrependido sinceramente? Você dedicou tempo para pedir a Deus que fosse misericordioso com você e, o que é igualmente importante, você dedicou tempo para *receber* a misericórdia de Deus? A misericórdia é uma dádiva, mas uma dádiva só tem valor para nós se a recebemos. Jesus disse: "Peçam... e... recebam, para que a sua alegria possa ser completa" (João 16:24). Você está pedindo muito, mas recebendo pouco? Nesse caso, é hora de mudar. Deus fez tudo o que precisava ser feito por nós em Cristo. Agora cabe a nós recebê-lo pela fé. Não por mérito, mas apenas por fé.

À medida que aprendermos a receber a maravilhosa misericórdia que Deus tem para nós, seremos capazes de dá-la a outros.

Características de Uma Atitude Misericordiosa

A Misericórdia Entende

Jesus é um Sumo Sacerdote misericordioso que entende nossas fraquezas e enfermidades porque Ele foi tentado de todas as maneiras que nós somos, mas sem jamais pecar (ver Hebreus 4:15). Amo o fato de que Jesus me entende. Se temos as nossas próprias fraquezas, devemos também ser capazes de entender quando outras pessoas cometem erros e precisam de misericórdia e perdão. Ter um coração compreensivo é uma das belas características da misericórdia. Na próxima vez que alguém tratá-lo mal, tente ser compreensivo. Talvez essa pessoa esteja se sentindo mal ou tenha tido um dia ruim no trabalho. Comportar-se agressivamente não é certo, mas lembre-se de que as palavras gentis desviam o furor. A bondade tem o poder de desviar a ira porque o bem sempre vence o mal (Romanos 12:21).

Dave foi muito compreensivo comigo durante os anos em que eu estava me recuperando dos efeitos do abuso sexual que sofri na minha infância. Se ele não tivesse sido misericordioso comigo, provavelmente não estaríamos casados hoje e ambos poderíamos ter aberto mão do grande plano de Deus para nossa vida. Existe alguém na sua vida hoje com quem você pode se esforçar para ser um pouco mais compreensivo? Peça a essa pessoa para contar-lhe sua história. Geralmente, quando as pessoas se comportam de uma forma desequilibrada, é porque alguma coisa na vida delas as feriu e elas nunca se recuperaram.

Quanto mais sabemos sobre a história de vida das pessoas, mais fácil é entender qualquer comportamento desagradável que tenham.

A Misericórdia Não Aponta os Erros das Pessoas

Uma pessoa que não é controlada pelo Espírito Santo geralmente tem um prazer mórbido em espalhar más notícias e principalmente em contar as coisas erradas que os outros fizeram. A Palavra de Deus afirma que o amor cobre uma multidão de pecados (1 Pedro 4:8).

> O ódio excita contendas, mas o amor cobre todas as transgressões.
>
> Provérbios 10:12

Cada provérbio na Bíblia é uma palavra de sabedoria que tornará nossa vida melhor se dermos ouvidos a eles. Esse provérbio confirma o que Pedro disse no Novo Testamento sobre encobrir os pecados em vez de expô-los.

Quando José finalmente teve a oportunidade de falar com seus irmãos a respeito do tratamento cruel que eles lhe deram, ele fez isso em particular (Gênesis 45:1). Ele pediu que todos os demais saíssem da sala quando seus irmãos chegaram porque não queria que ninguém soubesse o que eles haviam feito. Ele não apenas estava pronto para perdoá-los completamente, como manteve o pecado deles em segredo para que as outras pessoas pudessem gostar deles e respeitá-los. Ele não queria constrangê-los. Essas características impressionantes do caráter de José nos ajudam a entender por que Deus foi capaz de usá-lo tão poderosamente. Se quisermos realmente ser usados por Deus, precisamos ter uma atitude misericordiosa.

Quando temos algo contra alguém que nos ofendeu, devemos ir a essa pessoa em particular para discutir o assunto (Mateus 18:15). Se ela se recusar a ouvir, então nos é dito para levarmos outros conosco para falar com ela na esperança de vê-la restaurada a um estado de mente e coração adequado.

Faça aos outros o que você gostaria que eles fizessem a você. Caso fizesse algo errado, você gostaria que as pessoas espalhassem a notícia ou que a guardassem para si mesmas? Já sei qual é a reposta porque sei o que eu iria querer. Gostaria que meus pecados fossem encobertos e estou certa de que você também.

A Misericórdia Não Julga

É fácil julgar e criticar aqueles que cometem erros, mas isso não é sábio. Fomos chamados por Deus para ajudar as pessoas, e não para julgá-las. Como mencionei anteriormente neste livro, podemos julgar o pecado propriamente dito, mas não devemos julgar as pessoas, porque não conhecemos o coração delas ou o que elas podem ter passado em suas vidas.

A misericórdia é maior que o juízo!

> Porque para aquele que não usou de misericórdia, o juízo será sem misericórdia, mas a misericórdia [cheia de feliz confiança] exulta vitoriosamente sobre o juízo.
>
> Tiago 2:13

É humano julgar, mas é divino usar de misericórdia. Peça a Deus para ajudá-lo a desenvolver uma atitude misericordiosa e busque pelas características próprias da misericórdia em sua vida. Julgar significa se colocar no lugar de Deus. Só Deus tem o direito de julgar as pessoas porque Ele é o Único que conhece todos os fatos. Não quero ser culpada por tentar ser Deus na vida de outra pessoa, por isso me esforço para evitar julgar os outros. Certamente, nem sempre fui assim. Durante muito tempo critiquei e julguei muito as pessoas, mas a boa notícia é que todos nós podemos mudar com a ajuda de Deus.

A Misericórdia Acredita no Melhor

O amor sempre acredita no melhor a respeito de cada pessoa, e a misericórdia é uma característica do amor. A misericórdia não dá a sentença sem que antes se tenha direito a um julgamento justo. A misericórdia quer saber a verdade, e não apenas os rumores. Detesto quando as pessoas me dizem algo ruim acerca de alguém, principalmente se for apenas fofoca, e não um fato comprovado. É preciso muito esforço para se acreditar no melhor depois que já se ouviu o pior. Devemos sempre acreditar no melhor até que uma acusação feita a respeito de alguém seja provada.

Sei que fui acusada publicamente de coisas que não fiz, e realmente sou grata pelas pessoas que disseram: "Não acredito que Joyce faria isso". Mas não gosto do fato de pessoas terem usado aquilo que ouviram, acrescentando mais alguns detalhes e passado adiante rumores e calúnias.

Somos muito mais felizes se acreditamos no melhor acerca de alguém em vez de ficarmos desconfiados e acreditarmos prontamente em tudo de ruim que ouvimos sobre essa pessoa.

A Misericórdia é Para Todos

Percebi que é mais fácil para mim demonstrar misericórdia a pessoas que amo e com quem tenho um bom relacionamento. É mais difícil quando não tenho um carinho especial pela pessoa com quem preciso ser misericordiosa. Entretanto, a verdadeira misericórdia é misericordiosa com todos. Uma atitude misericordiosa não é algo que podemos escolher ter ou não quando queremos; ela faz parte do nosso caráter, de quem somos. Nunca dizemos "faço misericórdia", mas dizemos "sou misericordioso".

Igualdade é algo importante para Deus. Ele não faz acepção de pessoas e não quer que façamos também. Todas as pessoas são igualmente importantes para Deus. Todas elas são Seus filhos, e Ele estende Sua misericórdia a todos. E como Seus representantes na Terra, devemos nos esforçar para fazer o mesmo. Não se comporte de acordo com a maneira como você se "sente" em relação a uma pessoa, mas seja misericordioso e isso enriquecerá sua vida.

Na Bíblia, lemos uma história normalmente chamada de "O Bom Samaritano". É sobre um homem que parou para ajudar outro que estava ferido e caído ao lado da estrada. Não era ninguém que ele conhecia, ele simplesmente usou seu tempo e seu dinheiro para ajudar um estranho (ver Lucas 10:27-37). Verdadeiramente, o homem misericordioso demonstra misericórdia a todos — não apenas àqueles que ele conhece, de quem gosta e a quem quer impressionar. Esse "bom samaritano" era um grande homem aos olhos de Deus simplesmente porque ele observou, deteve-se e demonstrou misericórdia a um homem que nunca havia visto antes e provavelmente jamais veria de novo. Ajudar aquele homem ferido custou ao bom samaritano tempo e dinheiro; ele não ganhou nada de material com suas ações, mas ainda assim fez a coisa certa. Todas as vezes que fazemos a coisa certa, isso nos dá paz interior, e colhemos uma recompensa no devido tempo. Tente ajudar mais pessoas. Demonstre-lhes a misericórdia e a bondade imerecida de Deus. Estou certa de que todos nós concordamos que o mundo precisa de mais "bons samaritanos"; então, comecemos por nós mesmos.

CAPÍTULO

14

Alivie Seu Fardo

Assisti a um filme recentemente no qual um homem estava carregando um segredo que, se fosse contado por ele, libertaria outro homem que cumpria uma pena de prisão perpétua por um crime que não havia cometido. Entretanto, contar o segredo poderia levá-lo a ter uma série de problemas, porque havia mandados de busca para prendê-lo. Ele se perguntava por que deveria se expor, colocando-se em perigo para libertar outro homem que não significava nada para ele. O advogado que o estava aconselhando a ser leal disse: "Se disser a verdade, você poderá aliviar seu fardo, e o fardo que terá de carregar na vida será menos pesado". Ele estava dizendo basicamente: "Faça um favor a si mesmo e faça a coisa certa".

Diariamente, fazemos escolhas na vida sobre como reagiremos às circunstâncias. Deus nos pede em Sua Palavra para fazermos as escolhas certas, mas ainda assim deixa a decisão a nosso critério. Se vamos perdoar ou não aqueles que dizemos ser nossos "inimigos" é uma dessas escolhas com as quais deparamos frequentemente. Se fizermos a escolha certa, aliviaremos nosso fardo, mas se fizermos a escolha errada, ficaremos atormentados e tornaremos nosso fardo ainda mais pesado.

> Então o seu senhor chamou-o e lhe disse: Servo desprezível e mau! Eu perdoei e cancelei toda aquela sua [grande] dívida porque você me suplicou.
>
> E você não deveria ter tido piedade e misericórdia do seu conservo, como eu tive piedade e misericórdia de você?
>
> E, furioso, o seu mestre o entregou aos torturadores (os carcereiros), até que ele pagasse tudo o que devia.
>
> Assim também Meu Pai celestial tratará com todos vocês se vocês não perdoarem livremente de coração o seu irmão pelas suas ofensas.
>
> Mateus 18:32-35

É nesse capítulo da Bíblia que Pedro pergunta a Jesus quantas vezes ele tinha de perdoar seu irmão quando pecasse contra ele. Jesus contou a Pedro uma história sobre um homem que devia ao rei uma quantia em dinheiro que hoje equivaleria a dez mil dólares. O rei queria acertar as contas, mas o homem não podia pagar e clamou ao rei por misericórdia. O coração do rei moveu-se de compaixão e ele perdoou (cancelou) a dívida. O mesmo homem que havia acabado de ser perdoado saiu e encontrou alguém que lhe devia cerca de vinte dólares, e ele pôs as mãos em volta da garganta do homem e exigiu que ele lhe pagasse.

O devedor caiu prostrado e começou a implorar por misericórdia, mas em vez de perdoá-lo como havia sido perdoado, o homem a quem o rei havia perdoado pôs o devedor na prisão. Quando seu senhor viu seu comportamento, ele lembrou-lhe da misericórdia que havia recebido e lhe disse que ele seria torturado por causa da sua falta de disposição para perdoar.

Essa história que Jesus contou merece ser diligentemente estudada. Ela resume tudo que estou tentando dizer neste livro. Deus nos perdoa por uma dívida muito maior do que qualquer outra que alguém poderia ter conosco, e precisamos aprender a oferecer misericórdia e perdão como Ele faz. Nunca devemos tentar fazer uma pessoa "pagar" pelo que ela fez para nos ferir. Jesus pagou nossas dívidas e nos perdoou liberalmente, e Ele espera que façamos o mesmo pelos outros. Se não o fizermos, então seremos torturados em nossa alma, assim como Jesus disse em Mateus, capítulo 18. Podemos aliviar nosso fardo fazendo a coisa certa e perdoando.

Ralph Waldo Emerson disse: "A cada minuto que passa com raiva, você perde sessenta segundos de felicidade". É fato que perdemos nossa alegria quando nos agarramos à nossa ira, e posso lhe dizer por experiência própria que não vale a pena. O imperador romano Marco Aurélio disse: "Quão mais dolorosas são as consequências da ira que as causas dela". Podemos a princípio ficar com raiva por causa de um pequeno incidente, mas se alimentarmos essa fagulha da ira com pensamentos negativos a respeito da pessoa que nos aborreceu, as consequências da ira definitivamente parecerão mais dolorosas do que a questão que inicialmente a causou. Talvez devêssemos viver de acordo com o provérbio chinês que diz: "Se for paciente em um instante de ira, você escapará de cem dias de tristeza".

Ao longo dos séculos, grandes homens e mulheres experimentaram o tormento da recusa em perdoar e a alegria proporcionada pelo perdão. Eis algumas das coisas que eles disseram:

> "Nunca houve um homem tomado pela ira que achasse sua ira injusta."
>
> S. Francisco de Assis

> "Analise o quanto mais você costuma sofrer por causa de sua ira e pesar, do que por causa das coisas pelas quais você está irado e pesaroso."
>
> Marco Antônio

> "Quando a ira não é refreada, ela costuma ferir mais do que a ofensa que a provocou."
>
> Sêneca

> "O que quer que comece com ira, termina em vergonha."
>
> Benjamin Franklin

> "Pessoas que sobem aos ares de raiva sempre aterrissam mal."
>
> Will Rogers

> "O perdão não muda o passado, mas amplia o futuro."
>
> Paul Boese

"O casamento é composto por três partes de amor e sete partes de perdão."

Lao Tzu

"Perdoar é a forma mais elevada e mais bela de amor. Em troca, você receberá paz e felicidade indizíveis."

Robert Mueller

"Você saberá que perdoou quando, ao lembrar-se daqueles que o feriram, sentir-se capaz de desejar o bem a eles."

Lewis B. Smedes

A Ira Está em Alta

As estatísticas são um forte lembrete de que há muita ira pelo mundo. Quase um terço das pessoas que participaram de uma pesquisa sobre o assunto (32%) dizem que têm um amigo próximo ou um parente que tem problemas para controlar a raiva. Uma em cada cinco (20%) diz que terminou um relacionamento ou uma amizade com alguém por causa da maneira como aquela pessoa se comportava quando estava com raiva. Caso você seja uma pessoa dominada pela ira, seria bom para você perceber que as pessoas que você ama talvez nem sempre estejam dispostas a ficar perto de você e a tolerar seu temperamento. Infelizmente, com frequência descarregamos nosso mau humor nas pessoas que mais amamos. Suponho que façamos isso porque pensamos erroneamente que elas simplesmente continuarão a nos perdoar e compreender, mas isso pode não durar para sempre. Todo mundo tem seu limite, e quando ele é atingido, o dano muitas vezes é irreparável.

Algumas das coisas que deixam as pessoas iradas nos dias de hoje são realmente ridículas. As pessoas ficam com tanta raiva de telefones celulares quando eles não funcionam direito, que são capazes de arremessá-los do outro lado da sala ou em um lago ou uma piscina. Lembro-me de quando tínhamos de encontrar um telefone público ao lado da estrada se quiséssemos dar um telefonema enquanto dirigíamos. Tínhamos de estacionar, sair do carro e ter moedas de determinado valor para pagar pela ligação. Se o tempo estivesse quente ou frio, tínhamos de aguentar o desconforto. Não ficávamos analisando essas questões, porque era simplesmente o que precisava ser feito caso quiséssemos dar um telefonema enquanto viajávamos. Agora ficamos cheios de ira se estamos dirigindo e passamos por uma área onde não há torres de celular e temos de esperar dois minutos para chegar a um local onde possamos usar o telefone.

Hoje, há pessoas enfurecidas no trânsito, na internet e nos escritórios. O que Jesus chamou de comportamento ímpio, chamamos hoje de doença emocional e prescrevemos aconselhamento. Será que estamos apenas inventando desculpas para justificar a falta de domínio próprio? Será que nos tornamos egoístas a ponto de acharmos que tudo na vida deveria ser exatamente da maneira que queremos que seja o tempo todo?

Muitas pessoas estão cheias de ira porque são infelizes, e elas são infelizes porque vivem cheias de ira. Isso se torna um círculo vicioso que resulta em cada vez mais ira, e realmente creio que a única resposta para isso é termos a mentalidade certa (bíblica) e a disposição de perdoar as circunstâncias e as pessoas que nos desagradam na vida.

De acordo com a revista *Sunday Times* de 16 de julho de 2006, 45% das pessoas perdem a cabeça regularmente no trabalho. Elas ficam furiosas com as pessoas! Com as pessoas *com quem* elas trabalham, com as pessoas *para quem* elas trabalham e com as pessoas que *ditam as regras* no trabalho. Se você é uma pessoa dominada pela ira, não é difícil encontrar alguma coisa ou alguém que o irrite.

Cerca de 64% dos ingleses que trabalham em escritórios já viveram um episódio no qual se descontrolaram em seu ambiente de trabalho por causa da raiva. Esses problemas parecem surgir muito mais frequentemente ou quem sabe até exclusivamente nos países ricos. Visitei várias vezes as regiões mais pobres da Índia e da África. Uma pessoa na Índia que é abençoada o suficiente para ter um emprego geralmente trabalha por menos de um dólar por dia. Uma mulher pode trabalhar silenciosamente dia após dia no sol quente varrendo a rua para os lojistas, e ela definitivamente não tem acessos de fúria ao varrer a rua. Há quarenta anos eu não corria o risco de me sentir tentada a ficar irritada com o telefone celular ou com o computador porque eu não tinha essas coisas. Naquela época, a vida não era tão estressante e as pessoas não tinham tanta raiva. Será que realmente progredimos? Imagino que em alguns aspectos sim, mas em outros, regredimos miseravelmente.

Dentre os atuais usuários da internet, 71% admitem já ter tido um ataque de fúria ao usar a internet, e 50% de nós reagimos aos problemas técnicos sofridos pelos computadores batendo no teclado, arremessando partes do equipamento, gritando ou sendo abusivo com nossos colegas. Seria cômico se não fosse trágico. Pelo menos 33% dos ingleses não falam com seus vizinhos, e estou certa de que esse percentual não é menor nos Estados Unidos ou em outras partes supostamente civilizadas do mundo.

Mais de 80% dos motoristas dizem que se envolveram em incidentes por ficarem irados enquanto dirigiam; 25% já cometeram um ato de fúria na estrada. Se uma pessoa cometer um erro enquanto dirige, como deixar de sinalizar ao mudar de faixa ou cortar acidentalmente alguém em outra faixa, outro motorista provavelmente demonstrará sua fúria se tiver problemas por causa do condutor imprudente.

O mundo é o que é, e do jeito que as coisas vão, é improvável que mude para melhor, mas ainda assim há resposta para os problemas que enfrentamos. Ainda que o mundo não mude, nós podemos mudar. Cada um de nós pode assumir a responsabilidade pela maneira como reage aos estímulos externos, e pode escolher viver uma vida de paz e harmonia. Podemos ter de perdoar cem vezes por dia, mas ainda é melhor do que ferver de raiva por dentro ou expressar raiva de uma maneira que pode acabar sendo constrangedora para nós.

Não Entre Aí

> Entrem pela porta estreita; pois larga é a porta e espaçoso e largo o caminho que conduz à destruição, e muitos são os que entram por ele. Mas estreita é a porta (contraída pela pressão) e estreito e comprimido o caminho que conduz à vida, e poucos são os que o encontram.
>
> Mateus 7:13-14

Esse versículo nos mostra que existem dois caminhos pelos quais podemos optar na vida. Um dos caminhos é largo e fácil de trilhar. Nele há espaço de sobra para todas as nossas emoções, e nunca ficaremos sozinhos porque esse é o caminho pelo qual a maioria das pessoas anda. Nesse caminho largo, temos espaço para toda ira, amargura, ressentimento e falta de perdão, mas ele leva à destruição. Vá em frente, leia os versículos anteriores novamente... Sim, ele leva à destruição. Mas há outro caminho que podemos escolher... É o caminho no qual Jesus andou.

A história está cheia de homens e mulheres que escolheram também o caminho estreito, e eles geralmente são aqueles dos quais lembramos e cujo exemplo queremos seguir. Não sei quanto a você, mas eu nunca quis ser como Hitler ou como o Estrangulador de Boston. Eles foram homens dominados pela ira, atormentados a ponto de se tornarem obcecados em atormentar outras pessoas. Podemos ver facilmente que a vida deles terminou em destruição porque tomaram o caminho errado. Não, nunca ansiei ser como eles, mas quis ser como Rute, Ester, José ou Paulo. Li e reli a história de José dezenas de vezes ao longo dos anos e estudei sobre sua atitude ao perdoar seus irmãos. Sei que Deus abençoou José poderosamente e abençoou seus descendentes porque ele escolheu o caminho estreito.

Cada bênção que desfrutamos hoje foi comprada com o sacrifício e a dor de alguém. Creio que meus filhos, netos e bisnetos terão uma vida melhor porque recebi a graça de Deus para perdoar meu pai por abusar de mim sexualmente. Eu poderia ter tomado o caminho largo. Ele estava ali na minha frente, gritando: "Escolha a mim, você merece um caminho fácil depois de tudo que viveu". Mas esse caminho é enganoso. Ele parece a princípio ser o caminho mais fácil, mas no fim ele só nos torna ainda mais miseráveis.

No capítulo final deste livro, vou lhe contar a história completa de como Deus me guiou e me ensinou a perdoar meu pai, mas por ora vamos apenas dizer que eu tomei o caminho estreito que leva à vida. Muitas vezes foi um caminho solitário, que não era trilhado com facilidade, mas quando eu pensava que não conseguiria dar mais um passo, eu via Jesus lá na frente dizendo: "Siga-Me, estou conduzindo você a um lugar de paz".

Atualmente, quando sou tentada a ficar cheia de ira e amargura, digo a mim mesma (geralmente em voz alta): "Joyce, não vá por esse caminho". Podemos sentir quando estamos indo em direção às águas escuras da amargura. Se formos fundo o suficiente, podemos sentir a água lamacenta se fechando sobre nossa cabeça e nos empurrando cada vez mais para baixo. A depressão, a autocomiseração e uma série de outras emoções negativas nos acompanham.

Há um Lugar Chamado "Lá"

Há um lugar chamado "Lá", e todos nós já estivemos Lá. Talvez alguns de vocês estejam vivendo Lá neste momento. É um lugar enorme, mas de alguma forma sua vida parece ser muito pequena e confinada quando você está nele. Há uma enorme montanha Lá, e ela ocupa a maior parte do espaço. Você passa muito tempo andando ao redor da montanha sem nunca avançar verdadeiramente na sua jornada. Tudo o que você precisa fazer para viver Lá é agir de acordo com suas emoções. Fique com raiva quando não conseguir as coisas do seu jeito ou não perdoe quando as pessoas tratarem você injustamente. Não seja misericordioso, e você pode ter um ótimo lote de terra Lá.

Os israelitas viveram Lá por quarenta anos. Eles chamaram esse lugar de "deserto", mas eu o chamo de Lá. Lá é qualquer lugar onde estivemos muitas vezes antes e que nos torna infelizes e rouba a qualidade de vida que Jesus quer que tenhamos. Pode ser autocomiseração, egoísmo, ganância, ira, ressentimento, ódio, vingança ou inveja. Os nomes que são dados para Lá são intermináveis, mas os resultados de vivermos Lá são os mesmos. Miséria, tormento, frustração e vazio enchem a atmosfera desse lugar espaçoso que nos leva à destruição.

Como disse anteriormente, eu vivi nesse lugar por muito, muito tempo antes de decidir sair de Lá e me manter fora de Lá. Quando minhas emoções tentam me sugar de volta para Lá, tenho de resistir a elas clamando pela graça e pelo poder de Deus. Mas sinceramente não posso perder nem mais um dia da minha vida Lá.

"Os Outros" Também Têm Culpa!

Os israelitas culparam seus inimigos. Era sempre culpa de seus inimigos o fato de serem infelizes e miseráveis. No entanto, o único inimigo real que eles tinham era a atitude negativa. Eles eram incrédulos, murmuradores, gananciosos, invejosos, ingratos, medrosos, irados, impacientes e tinham pena de si mesmos. É consolador para nós culpar mais alguém por todos os nossos problemas. Enquanto "Os Outros" forem o problema, nunca teremos de olhar para nós mesmos e assumir a responsabilidade pelos nossos atos.

Durante anos foquei no que meu pai havia feito comigo em vez de focar na minha reação ao que ele havia feito. Deus me ofereceu uma resposta, mas fazer as coisas do jeito dele significava sair de "Lá" e parar de pensar que "Os Outros" eram meu problema. Meu pai havia me ferido terrivelmente, não há dúvidas quanto a isso, mas Deus estava oferecendo a mim cura e restauração... A escolha era minha! Você está parado nessa mesma encruzilhada agora? Se for o caso, imploro que você saia do caminho largo que leva à destruição e entre no caminho estreito que leva à vida.

Quem são Os Outros, aqueles que são culpados por todos os nossos problemas? Se prestar atenção no próprio discurso e no discurso das outras pessoas, terá a impressão de que foram Os Outros que estragaram nossa vida, e são Os Outros que precisam consertá-las. Os Outros fizeram, e Os Outros dizem, e temos medo que Os Outros não façam isso ou aquilo. Mas quem são Os Outros? Ah, Os Outros pode ser qualquer um, a qualquer momento, em qualquer lugar. A verdade é que Os Outros não têm poder para nos fazer mal no fim das contas se permanecermos no caminho certo e seguirmos Jesus. Ele é o Caminho para a alegria indescritível, para a paz que excede todo entendimento e para uma vida tão impressionante que não temos palavras para explicá-la. Quando penso em todos os anos que vivi "Lá", culpando "Os Outros" por toda a minha miséria, isso me faz querer escrever muitos livros sobre o que Deus nos oferece por intermédio de Jesus Cristo. Quero que você conheça a verdade porque ela o libertará. A verdade é: você não precisa ficar cheio de ira, amargura e ressentimento quando alguém o ferir. Você tem outra escolha... VOCÊ PODE PERDOAR! Na próxima vez que suas emoções começarem a se agitar e você for convidado para ir a uma terra chamada "Sem Perdão", esteja determinado a não ir para "Lá".

Não importa o que aconteça em sua vida, mantenha uma atitude positiva. Paulo disse que ele aprendera a estar contente quer tivesse muito ou pouco (Filipenses 4:11). Estou plenamente convencida de que Paulo aprendeu da mesma maneira que nós. Ele viveu a dor de fazer escolhas erradas até que finalmente viu o quanto era sábio fazer as escolhas certas. Ao fazer as escolhas certas, ele encontrou contentamento.

A Vida Oferece a Ofensa

Pessoas e circunstâncias em nossa vida nos oferecerão oportunidades para nos ofendermos, mas não temos de ir "Lá". Como você vai reagir? Vai culpar "Os Outros" ou vai assumir a responsabilidade pelas suas atitudes? Lemos na Palavra de Deus que devemos guardar nosso coração com toda vigilância (Provérbios 4:23). É nossa responsabilidade trabalhar com o Espírito Santo para mantê-lo livre de ofensas para com Deus e os homens. Os campeões se desviam das ofensas assim como o rei Davi fez muitas vezes em sua vida.

Você está pronto para comparecer diante de Deus e ter de responder à pergunta: "Por que você desperdiçou sua vida vivendo Lá"? Você realmente acha que pode se explicar dizendo que Os Outros fizeram você fazer isso e fazer Deus aceitar essa resposta? Creio que todos nós sabemos que isso não dará certo. É hora de cada um de nós tomar uma atitude em nossa vida e decidir não viver mais cheio de ira e amargura.

O caminho que nos leva para Lá é largo; parece ser um lugar muito pequeno embora a estrada para ir até Lá seja larga e muito movimentada. Há uma enorme montanha Lá e a única coisa para se fazer naquele lugar é ser infeliz!

Se você já esteve Lá ou se você está Lá neste momento, sabe o quanto isso o faz infeliz, portanto saia de Lá. E ao sair, diga: "Não vou voltar!"

•

CAPÍTULO

15
A Recompensa de Deus

Segundo a Bíblia, não podemos agradar a Deus sem fé, e aqueles que vêm a Ele devem crer que Ele existe e é galardoador daqueles que o buscam diligentemente (Hebreus 11:6).

Deus é galardoador! Amo essa ideia, e você? Todos nós gostamos de receber recompensas pelo nosso trabalho árduo, e admito que viver estando disposto a perdoar é algo árduo. Não é algo que fazemos certo algumas vezes, depois abandonamos e seguimos em frente. É algo com o qual lidamos ao longo de toda a nossa vida e geralmente com mais frequência do que gostaríamos. Quando estou fazendo algo que é difícil, sempre me ajuda quando lembro que a recompensa está me esperando, só preciso vencer a dor.

Uma pessoa se exercita na academia três vezes por semana, embora esse seja um trabalho árduo que muitas vezes a deixa dolorida, porque ela aguarda a recompensa de ter uma saúde melhor e um corpo musculoso, livre da flacidez.

Vamos para o trabalho por causa da recompensa, o salário do qual tanto precisamos. Vamos ao supermercado pela recompensa de podermos comer em casa. Na minha opinião, não faríamos muita coisa na vida se não houvesse a promessa da recompensa. Deus diz que todo homem será recompensado pelas coisas que fez nesta vida, quer tenham sido boas ou más (Apocalipse 22:12). Ele chamou Abraão para deixar sua família e sua casa e ir para um lugar que posteriormente lhe mostraria. Deus prometeu a Abraão que o recompensaria pela sua obediência (Gênesis 12:1-2; 15:1).

Quando uma criança passa em todas as provas escolares ano após ano, sua recompensa é se formar. Também devemos passar nos testes desta vida. O teste do perdão é apenas um deles, mas é um teste importante, e quando passamos nele, recebemos a recompensa de Deus. A recompensa pode se manifestar de muitas maneiras. Ela vem na forma de paz e alegria, mas também pode vir na forma de alguma espécie de promoção. José teve de passar no teste do perdão antes de ser promovido a uma posição de poder e autoridade no Egito. Você está buscando ser promovido também, mas está cheio de ira? Nesse caso, você perderá sua recompensa.

Todos nós temos a própria história, mas como estou escrevendo este livro, vou contar-lhe a minha e oro para que ela o ajude.

Nasci em 3 de junho de 1943. Nesse dia, meu pai foi enviado para fora do país a fim de servir na Segunda Guerra Mundial.

Contaram-me que eu não o vi novamente até os três anos de idade. Lembro-me de que eu sempre tive medo do meu pai. Parecia que ele estava sempre gritando e zangado por alguma coisa. É claro, minha mãe e eu sempre presumíamos que era algo que havíamos feito, mas também parecia que independentemente do que fizéssemos, ele ainda encontrava motivos para ficar irado. Durante os primeiros nove anos de minha vida, havia apenas minha mãe e eu em casa junto com meu velho pai, mas então chegou meu irmão.

Nessa época, meu pai já me molestava regularmente, e lembro-me de esperar de todo o coração que minha mãe desse à luz outra menina. Na minha tolice infantil, pensei que se o bebê fosse uma menina talvez meu pai gostasse mais dela que de mim e parasse de fazer as coisas que ele fazia e que faziam eu me sentir má e suja.

O bebê era um menino e não uma menina, e creio que me ressenti por isso durante algum tempo. Por fim, criamos uma conexão e muitas vezes senti que meu irmão, que se chamava David, era meu único amigo na família. Ele não sabia o que meu pai estava fazendo comigo, mas tinha as próprias batalhas para lutar. Ele também sentiu o peso da ira de meu pai e começou a beber e a usar drogas ainda muito jovem. Quando tinha dezessete anos, alistou-se na Marinha, foi lutar na guerra do Vietnã e nunca mais foi o mesmo. (Na verdade, me entristece dizer que enquanto eu escrevia este livro, meu irmão foi encontrado morto em um abrigo para pessoas sem-teto na Califórnia, aos cinquenta e sete anos.)

Estou certa de que há alguém pensando agora: *Por que Joyce está no ministério ajudando pessoas ao redor do mundo enquanto seu irmão estava morando em um abrigo para pessoas sem-teto?* Meu irmão estava em um abrigo para pessoas sem-teto porque ele se recusou a andar no caminho estreito que leva à vida. Ajudamos David em diversos momentos de sua vida, inclusive trazendo-o para morar conosco por alguns anos, mas o resultado era sempre o mesmo. Uma vez ele me disse: "Irmãzinha, eu não sou mau, sou apenas estúpido".

Ele sabia que fazia escolhas ruins, mas, por algum motivo, que não consegui entender bem, ele continuou a fazer essas escolhas. Creio que a vida de meu irmão e a minha são um paralelo interessante. Pela graça de Deus, eu tomei o caminho estreito, e minha vida agora está cheia das recompensas de Deus. Sou feliz, contente, abençoada e tenho o privilégio de ajudar pessoas a conhecerem o amor e o perdão de Deus, bem como Sua recompensa na vida delas. Meu irmão tomou o caminho largo que leva à destruição e está morto aos cinquenta e sete anos sem nunca ter experimentado a plenitude das recompensas de Deus. Creio que posso dizer verdadeiramente que ele desperdiçou sua vida e ninguém conseguiu impedi-lo. Ele teve alguns anos bons enquanto morou conosco, mas assim que se mudou e foi viver por conta própria, voltou a fazer escolhas ruins e a ter resultados ruins.

Ambos fomos feridos quando éramos crianças, e Deus ofereceu a ambos ajuda e restauração, mas acabamos em lugares totalmente diferentes na vida por causa de nossas escolhas. Deus amava nós dois, e ainda ama, mas sei que Ele está triste por tudo que meu irmão perdeu. Sei que eu estou triste por causa disso, mas isso faz com que eu me sinta mais determinada do que nunca a continuar compartilhando a verdade com as pessoas. Vencemos o mal com o bem (Romanos 12:21), e a minha reação à morte de meu irmão só pode ser: "Vou me esforçar ainda mais do que me esforçava antes para ajudar o máximo de pessoas que puder". Se você viveu decepções que estão tentando afundá-lo e fazê-lo se tornar apático e inerte, resista e esteja determinado a vencer sua dor e a se tornar mais forte do que antes. Não permita que as decepções o tornem amargo, mas, em vez disso, deixe que elas o tornem melhor.

Meu pai abusou de mim sexualmente por tanto tempo quanto consigo me lembrar, até eu sair de casa aos dezoito anos. Contei que meu pai me violentou pelo menos duzentas vezes em minha vida entre a idade de treze e dezoito anos. Antes disso ele me molestava. Meu pai não usava força física, mas me forçava usando o medo e a intimidação, e o efeito dessa coação era devastador.

Procurei minha mãe em busca de ajuda, mas ela não sabia realmente como lidar com o que eu havia contado para ela, então ela escolheu não acreditar em mim e não fazer nada. Ela me pediu perdão, mas levou trinta anos para fazer isso, e a essa altura eu já havia me recuperado graças a ajuda de Deus. Então eu tinha um pai que abusava de mim e uma mãe que me abandonou, e depois me encontrei com um Deus que me mostrou que eu tinha de perdoar os dois. Talvez seja bom você fazer uma pausa para refletir um pouco sobre isso antes de se apressar para ler o restante da minha história.

Deus Requer Obediência, e Não Sacrifício

Eu costumava fazer a oração "eu perdoo meus inimigos", e até certo ponto eu os perdoava. Deus me ensinou que "pessoas feridas ferem pessoas" e eu entendi que meu pai era um homem infeliz que muito provavelmente havia sido ferido e que estava tomado por um espírito de luxúria devido ao incesto ocorrido na sua própria linhagem familiar. Eu conversava muito comigo mesma e orava muito, e consegui parar de odiar meu pai, mas só percebi muitos anos depois que ainda tinha um longo caminho a percorrer. Eu tinha dado um sacrifício a Deus, mas Ele queria obediência total.

Assim que tive idade suficiente para sair de casa, comecei a passar com meus pais o mínimo de tempo possível, ficando com eles apenas quando não tinha outro jeito. Quando eles envelheceram e a saúde deles começou a se deteriorar, passei a enviar algum dinheiro para ambos ocasionalmente e os visitava brevemente nos feriados. Eles haviam se mudado de St. Louis de volta para o sudeste do Missouri, de onde eles vieram, e eu achei ótimo. Com eles morando a trezentos quilômetros de distância, eu tinha uma desculpa melhor ainda para não estar por perto.

Nesse meio tempo, nosso ministério estava crescendo e estávamos entusiasmados em ajudar as pessoas. Deus havia nos direcionado a ir para a televisão, e eu sabia que precisava ter algum tipo de confronto e conversa com meus pais para que eles soubessem que eu estaria contando minha história na televisão para ajudar outras pessoas. Eu não sabia como faria isso, mas definitivamente não tinha expectativa de que tudo corresse bem. Fiquei agradavelmente surpresa quando meu pai me disse para fazer o que fosse necessário. Ele mencionou que não fazia ideia do quanto me machucara ao abusar de mim, mas ele ainda não tinha pedido perdão nem parecia ter qualquer desejo de se arrepender e de buscar um relacionamento com Deus.

Mais alguns anos se passaram; o ministério estava crescendo e as coisas entre mim e meus pais continuavam mais ou menos do mesmo jeito. Eles estavam envelhecendo e a saúde deles estava ainda pior, e como eles não tinham dinheiro suficiente para viver dignamente, nós lhes enviávamos dinheiro regularmente. Eu sentia que era muito nobre da minha parte fazer até isso, por isso fiquei chocada quando Deus me disse que Ele esperava que eu fizesse muito mais.

O Verdadeiro Significado de Abençoar Seus Inimigos

> Amem, porém, os seus inimigos, e sejam bons e façam o bem [fazendo favores para que todos extraiam benefícios deles] e emprestem, sem esperar nada em troca; e então a sua recompensa será grande (rica, forte, intensa e abundante), e vocês serão filhos do Altíssimo, pois Ele é benigno e bom para os ingratos, egoístas e maus.
>
> Lucas 6:35

Se você leu esse versículo apressadamente, como costumamos fazer, por favor, volte e realmente preste atenção no que ele diz. Quando recebemos nossa recompensa? Depois que fazemos boas coisas pelos nossos inimigos com uma atitude positiva.

Uma manhã, ao orar, senti Deus sussurrar em meu coração que Ele queria que trouxéssemos meus pais de volta para St. Louis, comprássemos para eles uma casa próxima a nossa e cuidássemos deles até que morressem. Eu imediatamente presumi que aquele pensamento era apenas o diabo tentando me atormentar. Resisti firmemente a ele e tentei esquecê-lo. Entretanto, quando Deus está tentando falar conosco, Ele repete o que tem a dizer insistentemente até finalmente ouvirmos. A ideia ficava voltando à minha mente, principalmente enquanto eu tentava orar. Imagine Deus tentando falar comigo enquanto eu orava! Estou certa de que eu estava ocupada tentando contar a Ele tudo o que eu queria e necessitava, e Ele estava tentando me interromper por tempo suficiente para me dizer o que Ele queria.

Finalmente decidi falar sobre minha ideia com Dave, na expectativa de que ele me dissesse que aquilo era ridículo e o assunto terminaria ali. Essa era uma situação na qual eu estava totalmente preparada para me submeter a meu marido! Eu queria que ele me dissesse "não", mas ele não fez isso. Ele disse simplesmente: "Se é isso que você acha que Deus está lhe dirigindo a fazer, então é melhor obedecermos".

Dave e eu não tínhamos muito dinheiro guardado e seria necessário usar a maior parte do que tínhamos, se não tudo, para fazer o que Deus estava pedindo. Meus pais não apenas precisavam de uma casa, mas de um carro e de móveis também, porque eles não tinham nada de muita qualidade. Deus deixou claro para mim que Ele queria que nós cuidássemos "bem" deles e os tratássemos como se eles tivessem sido os melhores pais do mundo.

Minha carne gritava o tempo todo! Como Deus podia me pedir para fazer isso? Será que Ele havia esquecido que eles nunca haviam feito nada por mim? Será que Deus não se importava com o fato de que eles haviam me ferido terrivelmente e nunca estiveram ao meu lado de forma alguma quando precisei deles? Será que Deus não sabia como eu me sentia?

Sem nenhum sentimento positivo para me servir de estímulo, fiz tudo que Deus me pediu para fazer. Meus pais se mudaram de volta para St. Louis, eles moravam a oito minutos da nossa casa, e nós cuidamos de cada necessidade deles. Quanto mais eles envelheciam, mais necessidades eles tinham. Meu pai demonstrou alguma gratidão com suas palavras, mas ele ainda permanecia o mesmo homem mau e ranzinza que sempre havia sido.

Três anos se passaram desde que começamos a cuidar deles, e na manhã do dia de Ação de Graças minha mãe telefonou e disse que meu pai estava chorando a semana inteira e queria saber se eu podia ir até lá e conversar com ele. Dave e eu fomos, e meu pai me pediu para perdoá-lo pelo que ele havia feito comigo quando eu era criança. Ele chorou sem parar e também pediu a Dave que o perdoasse. Ele disse: "A maioria dos homens me odiaria, mas você Dave, nunca fez nada além de me amar". Nós garantimos a ele que o havíamos perdoado e perguntamos se ele queria pedir a Deus que o perdoasse e receber Jesus Cristo como seu Salvador. Ele nos garantiu que sim, então oramos e meu pai nasceu de novo ali mesmo, naquela mesma hora. Ele perguntou se eu o batizaria, e dez dias depois nós o batizamos na nossa igreja no interior de St. Louis. Posso dizer que durante os quatro anos seguintes, vi meu pai mudar verdadeiramente. Ele morreu aos oitenta e seis anos, e sei que ele está no céu.

Quando Deus falou comigo sobre comprar uma casa para eles, eu não entendi qual fruto veria no fim. O amor que a graça de Deus demonstrou ao meu pai através de nós derreteu seu coração duro e abriu o caminho para que ele visse a luz. Minha mãe ainda está viva enquanto escrevo estas palavras. Ela tem oitenta e sete anos e vive em um lar de assistência para idosos pelo qual pagamos. Ela é uma filha de Deus, e embora sua saúde não seja ótima, ela parece desfrutar cada dia de sua vida. Fiquei triste por ter de comunicar a ela sobre a morte de meu irmão, mas Deus lhe deu muita graça e ela está lidando bem com a notícia.

O versículo que citei antes diz que devemos fazer favores aos nossos inimigos e ser bondosos com eles... *Então* nossa recompensa será grande! Eu passara anos dando a Deus um sacrifício, mas não a verdadeira obediência. Eu fazia estritamente o que tinha de fazer por meus pais, e até isso eu fazia com um pouco de ressentimento, mas Deus tinha mais em mente. Ele tinha em mente que eu fizesse mais e recebesse mais. Fui incrivelmente liberta em minha alma, sabendo que havia obedecido totalmente a Deus. Recebi a alegria de conduzir meu pai, que havia me violentado mais de duzentas vezes, ao Senhor e depois batizá-lo. Também cremos firmemente que Deus abriu a porta para ajudarmos milhões de outras pessoas depois que obedecemos a Ele plenamente. Começamos a traduzir nosso programa de televisão para idiomas estrangeiros, e ele agora vai ao ar em dois terços do mundo, em mais de quarenta idiomas diferentes. Milhares e milhares de pessoas estão recebendo Jesus como seu Salvador e aprendendo sobre a Palavra de Deus por meio desse movimento evangelístico.

Deus é realmente surpreendente! Ele nos dá a graça para fazer coisas que por nós mesmos não faríamos, e nunca poderíamos fazer. Como eu poderia amar o homem que havia sido a fonte do meu tormento? Como eu poderia amar a mãe que tinha me abandonado naquela situação e não me ajudou quando pedi ajuda? Deus tem um plano que é muito diferente do nosso, por essa razão Ele nos capacita a fazer coisas que nunca imaginaríamos fazer, inclusive perdoar aqueles que abusaram de nós. Deus é bom, e se permitirmos, Ele fará a Sua bondade fluir através de nós, alcançando a vida de outras pessoas.

Você ouviu a versão resumida da minha história. Sei que a maioria de vocês tem a própria história, talvez ainda mais chocante que a minha. Deus quer lhe dar uma bênção dobrada em lugar dos seus problemas. Ele quer que você viva em meio à Sua abundante recompensa. Não permita que nada o impeça. Faça um favor a si mesmo... PERDOE!

Joyce Meyer é uma das líderes no ensino prático da Bíblia no mundo. Renomada autora de *best-sellers* pelo *New York Times*, seus livros ajudaram milhões de pessoas a encontrarem esperança e restauração através de Jesus Cristo.

Através dos *Ministérios Joyce Meyer*, ela ensina sobre centenas de assuntos, é autora de mais de 80 livros e realiza aproximadamente quinze conferências por ano. Até hoje, mais de doze milhões de seus livros foram distribuídos mundialmente, e em 2007 mais de três milhões de cópias foram vendidas. Joyce também tem um programa de TV e de rádio, *Desfrutando a Vida Diária*®, o qual é transmitido mundialmente para uma audiência potencial de três bilhões de pessoas. Acesse seus programas a qualquer hora no site www.joycemeyer.com.br

Após ter sofrido abuso sexual quando criança e a dor de um primeiro casamento emocionalmente abusivo, Joyce descobriu a liberdade de viver vitoriosamente aplicando a Palavra de Deus à sua vida, e deseja ajudar outras pessoas a fazerem o mesmo. Desde sua batalha contra um câncer no seio até as lutas da vida diária, Joyce Meyer fala de forma aberta e prática sobre sua experiência, para que outros possam aplicar o que ela aprendeu às suas vidas.

Ao longo dos anos, Deus tem dado a Joyce muitas oportunidades de compartilhar seu testemunho e a mensagem de mudança de vida do Evangelho. De fato, a revista *Time* a selecionou como uma das mais influentes líderes evangélicas dos Estados Unidos. Sua vida é um incrível testemunho do dinâmico e restaurador trabalho de Jesus Cristo. Ela crê e ensina que, independente do passado da pessoa ou dos erros cometidos, Deus tem um lugar para ela, e pode ajudá-la em seus caminhos para desfrutar a vida diária.

Joyce tem um merecido PhD em teologia pela Universidade Life Christian em Tampa, Flórida; um honorário doutorado em divindade pela Universidade Oral Roberts em Tulsa, Oklahoma; e um honorário doutorado em teologia sacra pela Universidade Grand Canyon em Phoenix, Arizona. Joyce e seu marido, Dave, são casados há mais de quarenta anos e são pais de quatro filhos adultos. Dave e Joyce Meyer vivem atualmente em St. Louis, Missouri.